JESUS,

O MAIOR PSICÓLOGO QUE JÁ EXISTIU

Para a minha
terapeuta
Márcia Fontes,
com carinho.
JUNHO/2016.
Framingham - MA.

JONAS E. ARAUJO

MARK W. BAKER

JESUS, O MAIOR PSICÓLOGO QUE JÁ EXISTIU

Como os ensinamentos de Cristo podem nos ajudar a resolver os problemas do cotidiano e aumentar nossa saúde emocional

Publicado originalmente com o título:
The Greatest Psychologist Who Ever Lived: Jesus and the Wisdom of the Soul.

Publicado em acordo com a Harper San Francisco,
uma divisão da HarperCollins Publishers, Inc.

Nota do editor: Os versículos citados neste livro foram traduzidos literalmente do original, que, em várias passagens, usou como fonte a *Living Bible*, versão de linguagem bem livre em inglês.

tradução: Claudia Gerpe Duarte
preparo de originais: Regina da Veiga Pereira
revisão: José Tedin Pinto
Sérgio Bellinello Soares
projeto gráfico e diagramação: Futura
capa: Raul Fernandes
impressão e acabamento: Cromosete Gráfica e Editora Ltda.

CIP-BRASIL. CATALOGAÇÃO-NA-FONTE
SINDICATO NACIONAL DOS EDITORES DE LIVROS, RJ

B142J
Baker, Mark W., 1965-
Jesus, o maior psicólogo que já existiu/Mark W. Baker; tradução de Claudia Gerpe Duarte. – Rio de Janeiro: Sextante, 2005.

Tradução de: The greatest psychologist who ever lived
ISBN 85-7542-155-7

1. Jesus Cristo – Ensinamentos. 2. Jesus Cristo – Psicologia. I. Título.

05-0016.
CDD 232.903
CDU 232.9

---

www.sextante.com.br

Edição exclusiva distribuída por
Editora Mundo Cristão
www.mundocristao.com.br

SUMÁRIO

INTRODUÇÃO

Jesus entendia as pessoas. Sabemos disso porque talvez ele seja quem mais influenciou a história. Culturas foram formadas, guerras travadas e vidas transformadas em decorrência do seu ministério há dois mil anos. Como psicólogo, sempre fui fascinado pela pergunta: por que os ensinamentos de Jesus tinham tanto poder? Depois de estudar muitos anos, descobri que se compreendêssemos psicologicamente os ensinamentos de Jesus poderíamos entender por que suas palavras exerceram um impacto tão profundo nos seus seguidores. As teorias psicológicas atuais nos permitem perceber que o fato de Jesus compreender tão profundamente as pessoas fazia com que elas quisessem ouvi-lo.

Há mais de vinte anos interesso-me pelo estudo tanto da teologia quanto da psicologia. Descobri que cada uma dessas disciplinas ajuda a aprofundar meu entendimento da outra. Fico sempre admirado ao constatar como os pontos de concordância entre os princípios espirituais e os emocionais podem favorecer a saúde tanto emocional quanto física.

Freud, no entanto, considerava a religião uma muleta que as pessoas usam para lidar com seus sentimentos de desamparo. Esta postura deu início a uma guerra entre a psicologia e a religião que continua até hoje. Alguns psicólogos encaram a religião como um culto que limita o potencial humano, e pela mesma razão algumas pessoas religiosas olham a psicologia com preconceito. Descobri que a animosidade existente em ambos os lados deste conflito tem origem no medo. O medo dificulta o entendimento. É necessário que as pessoas parem durante algum tempo de se sentir ameaçadas para que consigam ouvir umas às outras e comecem a atingir um entendimento mútuo.

Há alguns anos um colega pediu-me que o substituísse em uma palestra que iria dar domingo numa igreja. Embora eu não soubesse nada a respeito dessa igreja, concordei em apresentar um dos meus textos sobre um tema psicológico que considero importante e que adaptei para uma audiência religiosa. Pouco depois de ter começado a palestra, um homem sentado na parte de trás da sala levantou a mão e disse: "Este seria um seminário interessante para uma terça-feira à noite na biblioteca ou algo parecido, mas certamente não é adequado à Casa de Deus no dia do Senhor!" Infelizmente esta não foi a primeira nem a última vez em que, ao fazer uma abordagem psicológica, despertei a hostilidade de pessoas religiosas.

Mas o contrário também sucede. Certa vez, depois de uma série de conversas com um grupo de psicanalistas sobre o cristianismo, expressei meu desapontamento em relação ao preconceito que o grupo demonstrava contra as pessoas religiosas. A explicação de um dos psicanalistas para tal comportamento foi: "Convivo com esses profissionais e acho que eles não conhecem nenhum terapeuta que seja ao mesmo tempo inteligente e cristão." Verifiquei naquele momento que o preconceito existe de parte a parte.

Felizmente, psicólogos contemporâneos estão reavaliando muitas das idéias de Freud, inclusive seu preconceito em relação à religião. Venho acompanhando esse processo com entusiasmo há vários anos. Os pontos de concordância entre as teorias contemporâneas e os ensinamentos de Jesus têm me impressionado.

Muitos livros já foram escritos sobre esses ensinamentos. Entretanto, eu gostaria de acrescentar algumas reflexões novas a respeito dessa antiga sabedoria. Os estudos que fiz sobre as teorias psicanalíticas contemporâneas possibilitaram-me interpretar as palavras de Jesus sob um novo prisma e enriqueceram a minha vida e a vida dos meus pacientes. Em vez de achar que essas lições entram em contradição com as novas descobertas psicológicas, eu considero que elas produzem novas e profundas percepções que eu não havia entendido antes. Neste livro vamos examinar de outra perspectiva algumas das parábolas mais conhecidas para aprender algo novo a respeito da sabedoria de Jesus à luz do pensamento psicológico contemporâneo.

Cada um dos capítulos que se seguem concentra-se em um conceito psicanalítico que ilustrarei com os ensinamentos de Jesus. Faço referências em notas no final do livro para aqueles que desejarem ler textos psicanalíticos técnicos mais elaborados. Esforcei-me para traduzir esses conceitos complicados em termos simples, sem sacrificar a integridade do seu significado.

Acredito que muitos desses princípios espirituais tragam benefícios em nossas tentativas de encontrar o equilíbrio psicológico. Procurei dar exemplos de como esses princípios se aplicam hoje em dia às nossas vidas. Os exemplos que usei foram extraídos das experiências de pessoas com quem trabalhei, que conheci ou a respeito de quem li. Por motivos confidenciais, cada exemplo é na verdade uma composição de várias histórias e não representa ninguém em particular. Independentemente das nossas crenças religiosas ou psicológicas, todos podemos nos beneficiar dessa eterna sabedoria.

PRIMEIRA PARTE

Entendendo as pessoas

CAPÍTULO 1

Entendendo como as pessoas pensam

"Com que compararemos o reino de Deus ou que parábola usaremos para descrevê-lo? Ele é como a semente de mostarda, que é a menor semente que plantamos no solo. No entanto, quando plantada, ela cresce e torna-se a maior de todas as plantas do jardim, com ramos tão grandes que os pássaros do ar podem se abrigar à sua sombra."
Com muitas parábolas como esta Jesus anunciava a seus seguidores a Palavra conforme podiam entender. Ele não lhes falava nada a não ser em parábolas.

Marcos 4:30-34

Jesus sabia que quase tudo o que fazemos na vida baseia-se simplesmente na fé. A maior parte das nossas decisões é tomada inicialmente em razão do que sentimos ou acreditamos. Só depois racionalizamos para justificar nossas escolhas. Jesus usava parábolas para nos obrigar a lidar com as nossas crenças, e não com nossos raciocínios lógicos.

A pessoa verdadeiramente sábia é sempre humilde. Jesus nunca escreveu um livro, sempre falou por meio de parábolas e conduziu as pessoas à verdade através do seu exemplo vivo. Ele era confiante sem ser arrogante, acreditava em valores absolutos sem ser rígido e tinha clareza sobre sua própria identidade sem julgar os outros.

Jesus abordava as pessoas com técnicas psicológicas que estamos apenas começando a entender. Em vez de mostrar-se superior, dando palestras eruditas baseadas no seu conhecimento teológico, ele humildemente dizia o que queria através de simples histórias. Falava de um modo que levava as pessoas a ouvirem, porque sabia o que as fazia querer escutar. Jesus foi um poderoso comunicador porque compreendia o que a psicologia está nos ensinando hoje: que baseamos a nossa vida mais no que *acreditamos* do que no que *sabemos*.

Suas críticas mais severas eram dirigidas aos professores de religião, embora fosse um deles. Jesus não os censurava pelo conhecimento que possuíam, mas pela arrogância que demonstravam. Para ele era claro que quanto mais aprendemos, mais deveríamos perceber que existem muitas coisas que ainda não sabemos. A arrogância é sinal de insegurança. Jesus entendia que as idéias humanas nunca expressam totalmente a realidade, e seu estilo de ensinar sempre levou este fato em consideração. Acredito que se desejarmos ser comunicadores mais eficazes precisamos aprender o que Jesus sabia a respeito da relação entre o conhecimento e a humildade.[1] Os grandes pensadores são sempre humildes. Eles compreendem que a vida está mais ligada à fé do que ao conhecimento.

POR QUE JESUS FALAVA POR MEIO DE PARÁBOLAS

"E não lhes falava nada a não ser em parábolas."
Marcos 4:34

Jesus compreendia a forma de pensar das pessoas. Ele foi um dos maiores professores da história porque sabia que cada pessoa só pode compreender as coisas a partir da sua perspectiva pessoal. Por isso ele ensinava por meio de parábolas.

A parábola é uma história que nos ajuda a compreender a realidade. Podemos extrair dela as verdades que formos capazes de entender e aplicá-las em nossas vidas À medida que crescemos e evoluímos, podemos rever as parábolas para descobrir novos significados que nos guiem em nossos caminhos.

As parábolas me ajudaram a entender a vida. Isso aconteceu sobretudo durante um dos períodos mais difíceis, quando eu não estava conseguindo compreender meu sofrimento. Foi uma época em que passei a questionar tudo, pensando: como pode existir um Deus se estou sofrendo tanto? Eu estava completamente desesperado e nada era capaz de me ajudar.

Nessa ocasião, fui à casa do meu irmão para me queixar da minha situação. Tim é geólogo e passa a maior parte do tempo ao ar livre. Ele não costuma falar muito, mas, quando o faz, geralmente diz coisas muito proveitosas. Sempre o considerei um homem humilde, no melhor sentido da palavra.

Eu estava sentado na cozinha da casa dele, com um ar deprimido e sentindo-me sem esperanças, quando meu irmão disse: "Sabe, Mark, recentemente, quando eu estava fazendo uma pesquisa geológica, notei uma coisa interessante a respeito da maneira como o mundo é feito. Nossa equipe escalou a montanha mais alta da região e a vista nos deixou emocionados. As experiências no alto das montanhas são magníficas. No entanto, nessa altitude as árvores não conseguem sobreviver. No topo da montanha nada cresce, mas quando olhamos para baixo notamos uma coisa interessante: todo o crescimento está nos vales."

A parábola de Tim me ensinou uma verdade essencial: o sofrimento nos causa dor, mas também nos faz crescer. Nunca esquecerei o que Tim disse naquele dia. As palavras dele não eliminaram a minha dor, mas de certa maneira a tornaram mais tolerável.

As parábolas não alteram os fatos da nossa vida – elas nos ajudam a olhá-los de outra maneira. Era o que Jesus pretendia ao contar as parábolas.

PRINCÍPIO ESPIRITUAL: Só podemos entender as coisas a partir da nossa própria perspectiva.

COMO CONHECEMOS A VERDADE

"Eu sou o caminho, a verdade e a vida."
João 14:6

Don trouxe uma lista quando veio para a primeira sessão de terapia. Ele não gostava de perder tempo e, como o tratamento é caro, queria me apresentar logo os problemas que estava enfrentando e ouvir o meu conselho sobre o que deveria fazer para resolvê-los.

Embora eu goste de dar conselhos, logo vi que não era de conselhos que Don precisava. No entanto, ele achava que, se conseguisse o tipo certo de informação, poderia corrigir o que estava errado na sua vida.

No fim de uma das nossas sessões, Don me pediu que passasse algum dever de casa para que ele pudesse aproveitar o intervalo entre as sessões.

– Não vou passar nenhum dever de casa – respondi.

– Por que não? – perguntou ele.

– Porque não é disso que você está precisando. Você veio aqui para aprender algo novo a respeito de si mesmo. Se for fazer o dever de casa vai colocar mais coisas na cabeça, quando o que precisamos é colocar mais coisas no seu coração.

Pouco a pouco a vida de Don começou a mudar, apesar de eu estar lhe dando muito poucos conselhos. O que ele recebeu de mim foi um tipo de relacionamento diferente dos que ele tinha na vida. Don começou a se concentrar menos no que *pensava* sobre as coisas e mais em como se *sentia* a respeito delas. Quando se tornou mais capaz de confiar no seu relacionamento comigo, começou a investigar áreas da sua vida que nunca explorara antes. Quanto mais ele aprendia sobre si mesmo, mais conseguia perceber os motivos que o levavam a tomar determinadas decisões. Don descobriu as verdades mais importantes sobre a sua vida, não por causa dos meus conselhos, mas porque o nosso relacionamento foi capaz de conduzi-lo a um entendimento mais profundo sobre si mesmo.

Jesus sabia que as pessoas jamais poderiam entender completamente a vida se usassem apenas o intelecto. Ele não dizia: "Vou ensinar a vocês o que é a verdade." Ele dizia: "Eu sou a verdade." Ele sabia que a mais elevada forma de conhecimento decorre dos relacionamentos em que existe confiança mútua, e não de grandes quantidades de informação. Jesus respondia às perguntas diretas com metáforas para atrair as pessoas para um diálogo e um relacionamento com ele.

Este princípio espiritual – que aprendemos as verdades mais profundas da vida através dos nossos relacionamentos – é a base da forma como eu pratico a terapia. Todos temos idéias conscientes e inconscientes[2] que afetam a maneira como percebemos o mundo. É psicologicamente impossível colocar *completamente* de lado a influência da nossa mente sobre a maneira como percebemos as coisas, sobretudo porque na maioria das vezes não temos consciência de que tudo o que conhecemos intelectualmente passa pelo filtro das nossas crenças. A terapia proporciona às pessoas um relacionamento que pode levá-las a se conhecerem melhor, descobrindo, assim, as outras verdades da sua vida.

PRINCÍPIO ESPIRITUAL: Aprendemos as verdades mais profundas através dos nossos relacionamentos.

POR QUE TENTAMOS SER OBJETIVOS

"A sabedoria é demonstrada pelas suas ações."
Mateus 11:19

Craig e Betty tinham valores e metas semelhantes na vida, o que os tornava bons parceiros e fez com que o casamento dos dois desse certo durante os primeiros anos. No entanto, pouco a pouco, Betty foi ficando insatisfeita com o relacionamento. Nas primeiras vezes em que tentou conversar com Craig a respeito do que sentia, o diálogo foi tão difícil que ela desistiu, porque acabavam brigando. Betty respeitava Craig, mas nos últimos tempos não estava segura nem mesmo para falar com ele de seus temores, o que a incomodava terrivelmente.

– Nunca fui infiel e sempre proporcionei uma vida de qualidade a você e às crianças. Não acho que exista razão para sentir medo. Se você olhar objetivamente para as coisas, vai ver que temos um bom casamento – insistia Craig.

– Não se trata de definir quem está certo e quem está errado – retrucava Betty. – É que eu não me sinto suficientemente segura para dizer como me sinto.

– Segura? – espantava-se Craig. – Você está imaginando coisas! Você tem uma ótima casa, uma poupança e eu fiz para você um seguro de vida de um milhão de dólares. A única maneira de ficar mais segura seria se eu morresse.

As conversas desse tipo nunca ajudaram Betty.

Foi só depois que os dois foram procurar uma terapia de casal que o problema começou a se esclarecer. Craig passou a entender que os fatos objetivos que ele tentava mostrar para a esposa não a estavam ajudando. Ela queria apenas que ele compreendesse que ela sentia medo e precisava de apoio. Ela não esperava que ele eliminasse seus temores, queria só compartilhar seus sentimentos na esperança de se sentir mais perto dele. Craig se sentia muito melhor examinando os fatos, mas percebeu que essa atitude não melhorava a situação, pois Betty precisava que ele a escutasse, a entendesse e respondesse com compaixão. Existem momentos em que a objetividade não faz entender a essência da questão. Quando Craig tornou-se consciente do que estava acontecendo, foi capaz de ajudar Betty.

As pessoas valorizam demais a objetividade. Dizemos coisas como: "Por favor, limite-se a me apresentar os fatos", como se obter os fatos fosse realmente a coisa mais importante a ser feita. Conclusões baseadas em fatos objetivos nos conferem uma sensação de segurança. No entanto, para Jesus, agir com *sabedoria* era muito mais importante do que acumular fatos objetivos. Para ele, o conhecimento devia se traduzir sempre nos atos e não nos discursos racionais. Foi isso que ele quis dizer quando falou: "A sabedoria é demonstrada pelas suas ações." Podemos estar objetiva e racionalmente certos a respeito de algo que tem conseqüências devastadoras nos nossos relacionamentos com os outros, mas a sabedoria vai sempre considerar os resultados das nossas ações.

Jesus ensinou que insistir em chegar aos fatos objetivos sobre as coisas às vezes pode ser perigoso. Guerras foram deflagradas, religiões divididas, casamentos terminados, crianças repudiadas e amizades desfeitas por causa dessa atitude. Às vezes, vencer numa discussão pode nos custar um relacionamento. Como diz o antigo ditado, temos duas escolhas no casamento: podemos ter razão ou podemos ser felizes.

PRINCÍPIO ESPIRITUAL: Busquem mais a sabedoria do que o conhecimento.

PODEMOS ESTAR SINCERAMENTE ERRADOS

"Os homens humildes são muito afortunados!"
Mateus 5:5 (*Living Bible*)

Às vezes confiamos muito no que pensamos porque isso nos dá uma falsa sensação de segurança. Podemos sinceramente acreditar que algo é verdade, mas ainda assim estar completamente errados.[3] Jesus nos avisou que não devemos confundir a sinceridade com a verdade. Quando acreditamos em alguma coisa, estamos convencidos de que ela é *a verdade*. Jesus ensinou que devemos ser humildes com relação ao que pensamos saber, porque só podemos conhecer a verdade a partir da nossa perspectiva pessoal.

Quando eu estava na faculdade, um grupo de cristãos da contracultura costumava fazer pregações nos pontos mais freqüentados do campus. Um deles pregava a mensagem de Jesus com toda a força. Eu ficava impressionado com a sinceridade e o poder da sua convicção. Tive certeza, depois de ouvi-lo durante meses, de que ele devia ter conseguido converter muitas pessoas. Certo dia, perguntei-lhe:

– Então, quantas pessoas vocês conseguiram atrair para Cristo com os seus discursos?

Para minha surpresa, a resposta foi:

– Na verdade, nenhuma. Mas isso não importa. É a nossa missão.

Ele tinha a firme convicção de estar fazendo a coisa certa. O resultado não era tão importante quanto a sinceridade com a qual ele executava a tarefa. Nunca duvidei da sua autenticidade, mas questionei se o simples fato de ser sincero fazia com que estivesse certo. Na verdade, eu conhecia dezenas de alunos da faculdade que ficavam irritados com os sermões e se afastavam daquele Deus sobre o qual ele estava pregando porque não queriam aproximar-se de alguém que parecia não lhes dar importância.

Esse pregador ignorava uma importante verdade que Jesus exercitava. Ser ao mesmo tempo fortemente convicto e bastante flexível requer uma grande força de caráter. As pessoas maduras conseguem ser corajosas o suficiente para se comprometerem com a verdade, permanecendo abertas à possibilidade de estarem erradas com relação à maneira como a percebem. É assim que o conhecimento e a humildade se relacionam.

Jesus disse: "Os homens humildes são muito afortunados", porque a pessoa rígida é a que mais sofre com sua rigidez. Ele sabia que pretender ser dono da verdade pode ter efeitos profundamente negativos, porque, apesar das nossas boas intenções, podemos estar sinceramente errados.

PRINCÍPIO ESPIRITUAL: Não confundam a sinceridade com a verdade; vocês podem estar sinceramente errados.

NÃO CONDENE O QUE VOCÊ NÃO ENTENDE

"Não condeneis e não sereis condenados."
Lucas 6:37

Conheço uma antiga história a respeito de três cegos que encontraram um elefante. Quando lhes foi pedido que descrevessem o animal, cada um disse uma coisa diferente. Um afirmou que o elefante era como uma grande mangueira; o segundo, que ele parecia um cabo de vassoura; e o terceiro, que ele se assemelhava ao tronco de uma árvore. Cada um descreveu o animal a partir da sua perspectiva. Nenhum deles estava certo ou errado; todos estavam expondo o seu ponto de vista pessoal. Somos humildes quando percebemos que somos como os cegos, limitados na nossa capacidade de perceber as coisas que estão bem diante de nós.

Luke e Annie procuraram uma terapia de casal porque haviam chegado a um impasse no seu relacionamento. Annie era uma pessoa muito espontânea que expressava seus sentimentos mais profundos com facilidade. Luke era um homem de negócios bem-sucedido e muito racional que se preocupava com a família, sendo marido e pai dedicado.

O maior problema que enfrentamos na terapia foi a dificuldade que Luke tinha com Annie, por considerá-la "excessivamente emocional". Todas as vezes que discutiam, ela chorava ou se magoava, e Luke ficava furioso, queixando-se de que ela se recusava a ser "racional" com relação às coisas. Quando procuraram a terapia, o relacionamento os havia colocado em dois extremos. Luke era o frio e racional, e Annie, a excessivamente emocional.

Luke tinha sido criado para fazer sempre a coisa correta, independentemente de como se sentisse com relação a ela. Estar certo vinha em primeiro lugar; os sentimentos eram de certa forma ignorados ou negados. Ser confiável era importante; os sentimentos só serviam para atrapalhar.

Como Annie expressava seus sentimentos com muita facilidade, Luke freqüentemente ficava confuso. Chegava a temer os sentimentos de Annie, porque não sabia como reagir para ajudá-la. Temos medo daquilo que não conhecemos.

"Oh, não! Lá vai você de novo!", queixava-se ele sempre que ela expressava como se sentia com relação às coisas. As emoções intensas assustavam Luke e por isso ele criticava as pessoas que as demonstravam.

"Não dou a mínima com relação a como você se sente a respeito do assunto. Vá simplesmente em frente", dizia ele. É claro que essa atitude só reforçava o comportamento emocional de Annie, piorando a situação.

As coisas começaram a melhorar quando Luke entendeu que reagia negativamente aos sentimentos de Annie por não entendê-los. Ele passou a compreender que os sentimentos não são nem bons nem maus; são apenas outra fonte de informações necessárias para que o casamento dê certo. Talvez Luke pudesse se beneficiar tentando entender como Annie se sentia. Ele contribuiu para a harmonia conjugal quando deixou de achar que a mulher era emocional *demais* e começou a procurar ver as coisas a partir da perspectiva dela.

A atitude dele ajudou Annie a parar de se condenar por ter reações emocionais muito intensas diante das coisas. Ela não era "excessivamente emocional". Era apenas uma pessoa que se sentia mal por ser emotiva, o que a fazia desmoronar sempre que se aborrecia. O fato de se permitir ter sentimentos possibilitou que estes surgissem e fossem resolvidos mais naturalmente. Luke e Annie ainda têm discussões, mas conseguem superá-las muito mais rápido agora. Quando tudo volta ao normal, Luke freqüentemente diz: "Sabe, estou feliz por termos conversado a respeito disso." As discussões passaram a ser mais produtivas quando um deixou de julgar o outro e procuraram entender as diferenças.

Jesus nos advertiu das armadilhas que encontramos ao julgar os outros. Ele sabia que nossos julgamentos se baseiam em informações distorcidas por nosso modo de ser e que não correspondem necessariamente à realidade. Precisamos acreditar que sabemos a verdade completa a respeito das coisas e das pessoas para nos sentirmos seguros, achando que dominamos completamente a situação e que nada novo virá nos perturbar. Esse temor do desconhecido é a base da intolerância. Ele nos leva a julgar e rotular pessoas e coisas. Quando sentimos esse tipo de medo, condenamos o que não compreendemos.

PRINCÍPIO ESPIRITUAL: Ao julgar os outros, nós nos condenamos.

LIVRANDO-NOS DA AUTOCONDENAÇÃO

"Deus não enviou seu Filho ao mundo para condenar o mundo."
João 3:17

Kirsten começou a se tratar comigo porque estava sabotando a sua carreira e não conseguia entender por quê. Ela tinha conseguido chegar ao topo da organização e agora não conseguia trabalhar, ficava paralisada devido ao crescente pânico de ser demitida. Estava quase incapacitada por sentimentos de insegurança.

Foram necessários vários meses, mas finalmente conseguimos entender em parte por que ela estava arruinando o seu sucesso. Kirsten não se sentia orgulhosa por causa das suas realizações. Na verdade, ela não sentia nenhum orgulho de si mesma. Sua auto-estima era baixíssima e ela tentava compensar este sentimento com o sucesso empresarial e a riqueza material. Procurava parecer boa externamente porque acreditava que era má por dentro. Estava nas garras da autocondenação.

Kirsten passou a infância tendo que lidar com uma mãe alcoólatra e tentando esconder do mundo a vergonha que sentia. Vivia quase o tempo todo assustada ou envergonhada. A experiência foi traumatizante demais e, apesar de a mãe ter parado de beber quando Kirsten era adolescente, ficaram marcas profundas.

Ela achava que sentia ódio de si mesma devido à maneira como se sentia com relação à mãe. Acontece que não era a si mesma que ela odiava e sim à mãe. Apesar dos horrores e humilhações por que passara quando criança, Kirsten jamais se permitira sentir raiva da mãe. Era como se tivesse o dever de enfrentar os problemas e fazer as coisas parecerem normais. Mas a verdade é que ela sempre se culpara pelos fracassos da mãe. Acreditava que se tivesse sido uma criança melhor, sua mãe não teria precisado beber, e acabou acreditando que não merecia que a mãe se esforçasse para cuidar dela. Enquanto condenou-se por causa da sua infância miserável, Kirsten teve a certeza de não merecer ter sucesso na vida.

Quando Kirsten começou a perceber o que estava acontecendo, as coisas mudaram. Quando se condenava, era como se o fracasso na vida fosse inevitável. Acreditou que nunca teria sucesso, e ponto final. Quando tomou consciência de que "nunca terei sucesso" não era um fato real, mas apenas uma crença criada por sua experiência de vida, começou a melhorar. Os fatos não mudam, mas as crenças, sim.

Agora ela sabe que acreditou no seu fracasso durante anos e que as convicções podem mudar. Está criando novas idéias a respeito de si mesma e passando pelo processo de perdoar a mãe pelo que ocorreu na infância. Mas para isso foi necessário que ela tomasse consciência do ódio que sentia pela mãe.

Jesus sabia que as pessoas são salvas ou destruídas com base no que acreditam, e a autocondenação é uma dessas crenças destrutivas. Kirsten passou a esforçar-se para sair dessa situação causada pela força de sua crença. A parte mais difícil da terapia foi fazê-la descobrir que ela se condenava e se sabotava não por fatos reais, mas por causa do que acreditava ser verdadeiro a seu respeito. Quando ela percebeu isso, sua capacidade de mudar manifestou-se muito mais rápido.

Todo mundo sente-se mal às vezes com relação a coisas que *fez*, mas algumas pessoas sentem-se mal a respeito de quem *são*. Elas se condenam e se tornam autodestrutivas se não descobrirem como mudar suas convicções com relação a si mesmas. Apresentar-lhes fatos raramente muda a atitude de autocondenação. Jesus ensinou que as crenças são modificadas pela fé e não pelos fatos. Ele não veio ao mundo para condená-lo. Ele não queria que as pessoas se sentissem mal a respeito de si mesmas; em vez disso, desejava que elas se sentissem amadas por Deus. Jesus sabia que é saudável nos sentirmos às vezes culpados para podermos reparar nossas faltas e aprender com elas, mas que a autocondenação resulta na crença de que sermos maus é um fato absoluto que não pode ser mudado. A autocondenação não é humildade, é humilhação. Jesus queria que as pessoas se livrassem da condenação e não que ficassem presas a ela.

PRINCÍPIO ESPIRITUAL: A autocondenação envolve a crença em uma mentira a respeito de nós mesmos.

A VERDADE NÃO É RELATIVA

"Que o vosso 'Sim' seja 'Sim' e o vosso 'Não' seja 'Não'."
Mateus 5:37

A Sra. Parker telefonou-me em pânico. Seu filho, Nathan, tinha abandonado o segundo grau e sido preso por estar dirigindo embriagado. Ela temia que a vida dele estivesse ficando cada vez mais sem limites. Após alguns minutos de conversa, convidei a família inteira para fazer terapia.

O Sr. e a Sra. Parker tinham uma única diretriz com relação a Nathan: "Só queremos que ele seja feliz." Achavam que estavam investindo em sua felicidade quando, em vez de colocar limites quando ele era criança, ofereciam-lhe alternativas para que escolhesse. Por exemplo, em vez de determinar uma hora fixa de dormir quando o filho estava na escola primária, perguntavam: "Nathan, você quer ir dormir tarde e ficar cansado amanhã o dia inteiro ou prefere ir dormir agora e se sentir descansado e bem-disposto quando acordar?" É claro que

Nathan preferia ir dormir mais tarde, o que fazia com que estivesse freqüentemente cansado quando criança. O casal não queria ser autoritário com Nathan, de modo que tentaram ensinar que tudo tem conseqüências, dependendo das escolhas que fazemos.

Mas na época Nathan não tinha maturidade para entender isso, e essa atitude dos pais o deixava inseguro, achando que eles não sabiam o que fazer e por isso estavam sempre lhe perguntando o que ele preferia. A vida de Nathan ficou descontrolada porque lhe deram uma responsabilidade que ele não era capaz de assumir. Quando temos sete anos e acreditamos que ninguém dirige o universo, chegamos à conclusão de que nada importa. Para Nathan, a verdade era relativa, e a realidade era como a criávamos.

Na verdade, Nathan precisava que seus pais soubessem das coisas. Como criança, ele precisava que eles estabelecessem limites, fazendo-o sentir-se seguro, e que dessem respostas diretas às suas perguntas. Obrigar uma criança cedo demais a decidir por si mesma pode ter conseqüências negativas. Nathan necessitava aprender que a verdade não é relativa,[4] mesmo que cada um de nós a veja a partir de sua própria perspectiva pessoal.

A vida ainda é bem difícil para a família Parker, mas está melhorando. O Sr. e a Sra. Parker admitiram que desejam outras coisas para Nathan além das que lhe transmitiam. Eles querem que o filho seja respeitoso, responsável e uma companhia agradável. Eles sempre desejaram isso, mas achavam que impor seus desejos ao filho prejudicaria a felicidade dele. No entanto, à medida que os pais são mais claros com relação ao que querem dele, Nathan está se tornando um rapaz mais feliz. Respeitar o ponto de vista uns dos outros não significa que tudo é relativo.

Acreditar que a verdade é relativa e que nada realmente importa é exatamente o oposto do que Jesus ensinou. Mas tudo é importante. O que ocorre é que, apesar de a verdade ser absoluta, nós a percebemos de forma relativa. Foi por isso que Jesus disse: "Eu sou a Verdade" (João 14:6). Ele sabia que não compreendemos objetivamente as verdades mais profundas da vida; nós nos aproximamos delas. Sempre interpretamos o que percebemos, o que significa que nunca somos realmente objetivos a respeito de nada.

Acreditar que a verdade é relativa significa afirmar que não existe uma verdade objetiva, de modo que cada um pode fazer o que quiser. Jesus ensinava a fazer do nosso "sim um sim" porque queria que fôssemos pessoas de convicção.

PRINCÍPIO ESPIRITUAL: Acreditem na verdade com convicção; aproximem-se dela com humildade.

HUMILDADE NÃO É PASSIVIDADE

"Se alguém te ferir na face direita, oferece também a outra."
Mateus 5:39

Freqüentemente dizemos que as pessoas passivas são humildes. É uma maneira de encontrar algo amável para se referir a pessoas que consideramos bastante incapazes. Raramente admiramos a humildade, porque a consideramos como o oposto da agressividade, que associamos ao sucesso.

Jesus, no entanto, tinha uma visão diferente da humildade. Ele disse: "Agora que eu, vosso Senhor e Mestre, vos lavei os pés, também vós deveis lavar os pés uns dos outros" (João 13:14). Jesus não se fez humilde na presença de outros porque possuía uma baixa auto-estima. Ele escolheu servir seus apóstolos porque tinha consciência de quem era; Jesus era suficientemente confiante para assumir o papel de servidor. Ele sabia que o status e o poder não tornam uma pessoa importante. O que faz uma pessoa ser importante é sua capacidade de servir os outros.

A verdadeira humildade exige confiança em si mesmo. Para ser humilde você precisa saber quem é e escolher servir os outros. Não se trata da modéstia causada pela insegurança. Dar importância a outra pessoa sem nos considerarmos diminuídos é a verdadeira humildade.

Uma das minhas alegrias quando criança era jogar dominó com o meu avô. Ele levava o jogo muito a sério. Fora criado em uma pequena cidade do Arkansas onde a habilidade de um homem no dominó garantia sua reputação num raio de vários quilômetros.

Um dia, na tentativa de ganhar a partida, agi impulsivamente procurando ver as peças de meu avô. A forma que o menino de dez anos que eu era encontrou foi me inclinando para a frente e começando a derrubar todas as peças do jogo.

Instintivamente, meu avô se levantou da cadeira horrorizado com o que eu estava fazendo. Quase ofegante e tenso, começou a retirar-se, mas parou no meio do caminho. Com a mesma rapidez com que se erguera, inverteu o movimento e lentamente voltou a se sentar com um sorriso de quem sabe das coisas. Pediu-me para ajudá-lo a recolher as peças a fim de retomarmos o jogo. Na hora achei esse comportamento estranho, e só muito mais tarde vim a entender o que ele significava.

Embora tivesse lutado para chegar aonde estava na vida, meu avô sabia que ganhar não era tudo. Para ele, o objetivo de qualquer jogo não era conseguir o maior número de pontos; era jogar de maneira a obter o maior respeito possível do oponente. Lembro-me daquele jogo de dominó com o meu avô porque ele se tornou um símbolo do nosso relacionamento. O importante para ele não era parecer capaz; ao contrário, era fazer com que eu me sentisse capaz.

Ele deixou de brigar comigo quando derrubei as peças do jogo não porque fosse passivo, mas para me ensinar algo a respeito da humildade. Foram necessários muitos eventos desse tipo na minha vida para que eu pudesse entender isso, mas meu avô ensinou-me de uma forma muito poderosa o que é a humildade – ele a praticou concretamente.

Ser uma pessoa passiva é recusar-se a ter uma atitude por causa do medo. Ser humilde é ter uma atitude devido ao amor. Foi isso que

Jesus quis dizer quando falou: "Se alguém te ferir na face direita, oferece também a outra." Ele não disse: "Se alguém te ferir na face direita, dá meia volta e afasta-te." Jesus queria que as pessoas tomassem uma posição firme e tivessem uma atitude digna. O que ele estava transmitindo é que o amor é mais forte do que o ódio. Se as pessoas atacarem você por ódio, procure amá-las até a morte. Jesus viveu este preceito literalmente na sua vida. Ele preferiu uma vida mais curta repleta de humildade e amor do que uma existência mais longa cheia de medo e passividade.

PRINCÍPIO ESPIRITUAL: A humildade é a força sob controle.

POR QUE OS TERAPEUTAS PRECISAM SER HUMILDES

"Abençoados os pobres em espírito, porque deles é o reino dos céus."
Mateus 5:3

Elaine era uma mulher tímida que procurou a psicoterapia por causa de constantes relacionamentos fracassados. À medida que o tempo passava, foi ficando cada vez mais difícil encerrarmos nossas sessões na hora. Era como se algo importante fosse surgir nos últimos minutos de quase todas as sessões, e Elaine rompia em lágrimas e expressava sentimentos sofridos, o que tornava difícil para nós dois concluir as sessões.

No início, pensei que talvez as sessões de 45 minutos não fossem longas o suficiente para ela. Parecia que nossas conversas faziam um poço de emoções que havia dentro de Elaine entrar em erupção. Eu não queria atribuir a dificuldade em terminar a sessão ao fato de considerá-la "excessivamente emocional", já que não gosto de ver as pessoas dessa maneira, pois parece que estou condenando quem expressa seus sentimentos.

De repente, entendi. Quando a sessão ia chegando ao fim, eu procurava terminar a conversa. Eu não queria iniciar algo muito profundo, pois só nos restavam alguns minutos. Sem perceber, eu estava sutilmente cortando Elaine. Minha intenção era evitar trazer à tona qualquer coisa que não tivéssemos tempo de examinar. Para Elaine, eu a estava rejeitando, como se dissesse que não queria mais ouvir o que ela estava sentindo.

Quando percebemos o que estava acontecendo, o término das nossas sessões começou a transcorrer de maneira muito mais suave. O encerramento ainda doía, mas deixou de ser sentido por ela como rejeição. O que estava precisando de tratamento não era um problema no interior de Elaine e sim o nosso relacionamento, que necessitava de atenção.

Jesus ensinou que os "pobres em espírito" herdarão tesouros devido à sua humildade. Os terapeutas precisam ser humildes a fim de receber os tesouros que aparecem a partir de um bom relacionamento com os pacientes. Hoje, muitos profissionais acreditam que o relacionamento criado na terapia é que ajuda as pessoas.[5] Os psicólogos precisam ouvir com muito cuidado cada paciente para juntos descobrirem de que maneira o relacionamento que está sendo formado pode levar à cura. Eles estão aplicando nos consultórios o que Jesus disse ser verdade a respeito de herdarmos o Reino de Deus.

Para Jesus, o agente de cura sempre pensa em si mesmo em relação aos outros. As pessoas não buscam simplesmente a cura; elas formam um relacionamento com aquele que a oferece, e essa relação, se bem conduzida, contribui poderosamente para a cura.

PRINCÍPIO ESPIRITUAL: A terapia é mais do que um processo; é um relacionamento.

JESUS, O TERAPEUTA

"Amai uns aos outros."
João 15:17

Quando Sheila compareceu à primeira sessão, anunciou que eu era seu sétimo terapeuta e que já conhecia seu diagnóstico.

– Tenho um distúrbio de personalidade limítrofe. É claro que você sabe que não existe cura para o meu caso – declarou ela.

Nada causa mais medo no coração de um terapeuta do que o termo "limítrofe", de modo que lhe dei total atenção.

– E como você chegou a essa conclusão? – perguntei.

– Minha última terapeuta deixou isso bem claro. Espero que você seja capaz de lidar com esse problema, porque preciso de alguém que saiba o que está fazendo – disse ela num tom hostil.

Logo se tornou visível que a terapeuta anterior a havia rotulado de "limítrofe" por causa dos seus relacionamentos intensos e instáveis, dos acessos de raiva e do seu medo sufocante de ser abandonada. De fato seus sintomas podiam levar a esse diagnóstico, que é um distúrbio difícil de ser tratado, pois os terapeutas sofrem agressões intensas dos pacientes durante o tratamento.

À medida que o tempo foi passando, ficou óbvio que Sheila receava muito que eu a rejeitasse, e por isso se empenhava desesperadamente para que eu a levasse a sério e me envolvesse com seu tratamento. As ameaças de suicídio, os telefonemas de emergência às três horas da manhã, as ligações sexuais com desconhecidos e as violentas explosões emocionais no meu consultório tinham a intenção de intensificar o nosso relacionamento, porque ela vivia sob a constante ameaça de que ele poderia terminar a qualquer momento.

Pude perceber que diagnosticar Sheila como um caso de "distúrbio de personalidade limítrofe" havia se tornado parte do problema. Se ambos estávamos esperando que Sheila agisse de um modo agressivo devido à sua deficiência, seria este o comportamento que ela manifestaria. Sheila não estava sofrendo de uma raiva patológica inata que a forçava à autodestruição; era uma pessoa que estava desesperadamente tentando salvar a si mesma e o seu relacionamento comigo. Ela não estava tentando ser destrutiva, assim como a pessoa que está se afogando não está tentando matar aquele que vem em seu socorro. O salva-vidas experiente sabe que as pessoas fazem qualquer coisa para se salvar, até mesmo arrastar o salva-vidas para o fundo. Pessoas desesperadas fazem coisas desesperadas.

Assim que percebi que Sheila não estava lutando *comigo*, mas lutando *para* salvar a si mesma no nosso relacionamento, as lutas de poder entre nós começaram a diminuir. Concentrei-me então em compreender as suas tentativas desesperadas de relacionar-se comigo.

Às vezes ainda é difícil conviver com Sheila, mas o comportamento agressivo, tão comum há alguns anos, melhorou. O diagnóstico inicial tornou-se menos importante, porque ela se sente genuinamente ligada a mim e a outras pessoas. Hoje ela valoriza o fato de ser amada.

Em seus ensinamentos, Jesus dizia que, em vez de nos basearmos no dogma, devíamos nos apoiar em um relacionamento amoroso com Deus. A chave não era estarmos certos com relação às coisas e sim desenvolver um bom relacionamento.

Jesus pregou: "Eis o que vos ordeno: amai uns aos outros." O amor é a substância que faz os seres humanos formarem com os outros unidades indivisíveis. O amor é o termo espiritual para a conexão genuína que muitos terapeutas procuram estabelecer com os seus pacientes.

Muitos terapeutas afirmam que precisamos tirar a ênfase das teorias e dos diagnósticos técnicos e colocá-la sobre o relacionamento formado na terapia. Tanto em relação à saúde psicológica quanto à salvação espiritual, a chave é deslocar a ênfase do conhecimento objetivo para a qualidade da relação. Esse ensinamento de Jesus é aplicado nos consultórios de muitos terapeutas.

PRINCÍPIO ESPIRITUAL: O dogma não deve se tornar seu mestre.

CAPÍTULO 2

Entendendo as pessoas: elas são boas ou más?

Jesus disse: "Descia um homem de Jerusalém a Jericó. Pelo caminho caiu em poder de ladrões que, depois de o despojarem e espancarem, se foram, deixando-o semimorto. Por acaso desceu pelo mesmo caminho um sacerdote. Vendo-o, passou ao largo. Do mesmo modo, um levita, passando por aquele lugar, também o viu e seguiu adiante. Mas um samaritano, que estava de viagem, chegou ao seu lado e, vendo-o, sentiu compaixão. Aproximou-se, tratou-lhe as feridas, derramando azeite e vinho. Fê-lo subir em sua montaria, conduziu-o à hospedaria e cuidou dele. Pela manhã, tomou duas moedas de prata, deu-as ao hospedeiro e disse-lhe: 'Cuida dele e o que gastares a mais na volta te pagarei.'"

Lucas 10:30-35

As pessoas são fundamentalmente boas ou más? Quase todos nós chegamos a uma dessas duas conclusões a respeito da natureza humana. Mas, se examinarmos como Jesus falava sobre as pessoas, parece que ele não chegou a nenhuma conclusão.

Alguns de nós somos como o sacerdote e o levita da parábola, outros como o samaritano, outros como os ladrões e outros ainda como o homem que foi espancado e deixado meio-morto. Mas o que levou o samaritano a ter aquele comportamento? Foi o fato de ele ser *essencialmente* uma boa pessoa? Jesus repetidamente mostrou que o aspecto *essencial* da natureza humana é a nossa necessidade de ter um relacionamento amoroso com Deus e com os outros. Por isso uma pessoa se define pelo relacionamento que estabelece com outras pessoas. O samaritano era "bom" porque não desprezou o homem agredido e parou para estabelecer um relacionamento com ele.

Do ponto de vista psicológico, encarar as pessoas simplesmente como boas ou más é muito simplista. Talvez seja mais fácil pensar assim porque, ao rotular os outros, sabemos em quem confiar e quem evitar. Mas a verdade é que sempre existem possíveis "samaritanos" e "ladrões" entre nós, e cada um de nós tem aspectos de ladrão, de sacerdote e de samaritano. Aqueles que reconhecem e valorizam a sua necessidade básica de se relacionar amorosamente com os outros tendem a ser boas pessoas e a ter um bom comportamento. Eles precisam dos outros, de modo que não desejam feri-los. As pessoas que violam sua natureza essencial de viver um bom relacionamento com os outros comportam-se como más.[1]

A parábola do bom samaritano fala de pessoas boas e más. Jesus explica a diferença entre os dois tipos em função do relacionamento que estabeleceram com o homem ferido. Jesus não fala que eram boas ou más essencialmente. Ele conhecia profundamente a natureza humana e por isso pode nos ajudar hoje a compreender o comportamento de todas pessoas que conhecemos, inclusive o nosso.

JESUS CONSIDERAVA AS PESSOAS ESSENCIALMENTE MÁS?

"Descia um homem de Jerusalém a Jericó. Pelo caminho caiu em poder de ladrões."
Lucas 10:30

Jesus estava familiarizado com as escrituras judaicas que falavam da profunda decepção de Deus com a raça humana e de como ele destruiu o planeta com um grande dilúvio.[2] Se Jesus concluiu, a partir dessa história, que somos fundamentalmente maus, então nossa natureza é ser como os ladrões da parábola do bom samaritano. Nós nos apossaríamos do que pertence aos outros e não os respeitaríamos, porque o importante neste mundo seria a sobrevivência do mais forte e faria parte da nossa natureza cuidar primeiro de nós mesmos, ainda que em prejuízo dos outros. A partir dessa perspectiva, sem alguma forma de religião ou de freio, todos nos mostraríamos nocivos e destrutivos.

Martin veio fazer terapia porque sua mulher disse que pediria o divórcio se ele não procurasse ajuda profissional. Ela havia descoberto não apenas que ele estava tendo um caso com outra mulher, como também que o problema dele com as drogas era muito mais grave do que ele deixara transparecer. Martin era freqüentemente desonesto com a mulher, e ela estava chegando à conclusão de que nem mesmo conhecia o homem com quem tinha se casado. Ele estava envolvido em uma série de atividades ilegais que escondera da esposa e não queria que um divórcio complicado o deixasse exposto. Martin às vezes ficava ansioso, com medo de ser apanhado por causa das suas más ações, mas nunca se sentia culpado por praticá-las. Até onde eu conseguia perceber, Martin parecia ser uma pessoa genuinamente má, mesmo que ele não pensasse dessa maneira.

Martin é o ladrão da parábola do bom samaritano. Ele rouba dos outros e depois dissipa o produto do seu roubo, o que o leva a roubar de novo. Existem pessoas más na vida que violam os outros e os deixam debilitados e destruídos. A tragédia é que cada vez que Martin comete um abuso contra alguém, ele fere a si mesmo, o que faz com que ele queira aproveitar-se novamente de alguém. Sua falta de compaixão pelos outros criou um muro ao redor do seu coração que o afasta da sua condição humana. Martin está preso em um ciclo vicioso de abuso contra as outras pessoas. É justamente por não se dar conta da própria maldade que ele continua a agir maldosamente.

Jesus sabia que de nada adianta colocar os ladrões diante da própria imoralidade. Eles geralmente nos dizem o que queremos ouvir. Algumas pessoas como Martin são capazes de mudar, mas só em circunstâncias extremas. Não sei o que teria acontecido se Martin tivesse permanecido na terapia e eu tivesse sido capaz de desenvolver com ele um relacionamento significativo o bastante para que ele fizesse um exame honesto de si mesmo. Naquelas circunstâncias, ele continuou a ter um mau comportamento porque não considerava ninguém suficientemente importante para fazê-lo agir de outra maneira. A mulher de Martin de fato pediu o divórcio e não sei onde ele está hoje, mas não deve ser em um lugar muito bom.

Na parábola do bom samaritano, o ladrão era definitivamente uma pessoa má, mas Jesus não se concentrou nele. Ele não estava interessado em definir a natureza humana como má, mas em nos oferecer um modelo de como sermos bons. Jesus ligava-se constantemente a pessoas que podiam ser consideradas "más" pelos outros, como a mulher adúltera, mas ele não os encarava dessa maneira. Ele via todas as pessoas como capazes de ser boas e nunca as discriminava. Jesus procurava sempre atrair as pessoas para um relacionamento com ele porque era isso o que as ajudava a se tornar melhores.

PRINCÍPIO ESPIRITUAL: Roubar os outros furta a alma do ladrão.

O PROBLEMA DE VER AS PESSOAS COMO MÁS

"Por fora, pareceis justos aos outros, mas por dentro estais cheios de hipocrisia e perversidade."
Mateus 23:8

Joshua procurou a terapia porque seu casamento estava desmoronando. Joshua era um religioso devoto que desejava agir o mais corretamente possível. Se fazer terapia individual pudesse ajudar o seu casamento, ele certamente estaria disposto a tentar.

O problema que Joshua e eu enfrentamos logo no início da terapia foi o fato de que ele acreditava que sua mulher era a causadora de todas as suas dificuldades. Joshua insistia em acusar a mulher, contando como ela o havia desapontado com seu egocentrismo, como ela deixara de se comportar à altura do que prometera nos votos matrimoniais e estava destruindo o casamento. Joshua se negava a admitir sua parcela de responsabilidade na crise conjugal e sempre encerrava sua auto-avaliação com declarações como: "Mas eu me sinto bem. Se não fosse por causa dela, nem mesmo estaria aqui."

Joshua se via como uma pessoa espiritualizada que havia dedicado anos aos estudos teológicos, a cultivar a sua fé e a ceder parte do seu tempo para auxiliar o desenvolvimento espiritual dos outros. Ele estava firmemente convencido de que se as pessoas praticassem as disciplinas espirituais não teriam problemas emocionais. Estava certo de que os problemas da esposa provinham do fato de ela não ter fé.

Joshua não conseguia entender os problemas psicológicos da mulher e nem de que forma ele contribuía para as dificuldades do casal. Ele acreditava que ceder a emoções humanas significava submeter-se aos desejos "da carne", que ele considerava fundamentalmente maus. Joshua queria ser uma pessoa espiritualizada capaz de superar as fraquezas humanas. Criticava muito a mulher por ela ser incapaz de fazer o mesmo.

Tentei lhe mostrar que expressar as emoções não era sinal de fraqueza e sim uma demonstração de força. Mas esbarrava nas suas certezas. "Minha fé se baseia em fatos, não em sentimentos", ele me informava. "Colocar fatos e sentimentos no mesmo nível é uma violação da minha fé." Como resultado, ele continuou a encarar os sentimentos da mulher como uma manifestação doentia.

Infelizmente, minha terapia com Joshua foi breve e malsucedida. É sempre difícil ajudar as pessoas que buscam a terapia afirmando que são os outros que precisam de ajuda. No entanto, uma das grandes barreiras para o sucesso da terapia de Joshua era a sua convicção de que a natureza humana é essencialmente má e que as pessoas espiritualizadas deveriam separar-se dela. Havia uma discordância básica entre nós. Eu estava tentando fazer com que ele entrasse em contato com a sua condição humana, e ele se empenhava em se afastar dela o máximo possível.

O problema de acreditar que as pessoas são fundamentalmente más é que essa crença faz com que tenhamos vergonha de ser humanos. Criamos então um ser idealizado para fingir que somos diferentes. Quem considera a natureza humana desprezível e má precisa descobrir uma maneira de se livrar da parte nociva e tornar-se um ser puramente espiritual que vive acima de tudo isso. O problema dos fariseus era acreditar que eles não eram como as outras pessoas. Eles se achavam mais espirituais do que humanos.

Em outras palavras, acreditar que a humanidade é fundamentalmente má faz você querer se afastar dela o máximo possível e só se associar àqueles que defendem idênticas convicções religiosas. Pessoas assim desprezam, mesmo que de forma inconsciente, aqueles que deixam de alcançar o seu nível de espiritualidade. Na terminologia psicológica, essa *persona* que eles criam é chamada de falso eu. O termo religioso é fariseu.

Na época em que Jesus contou a parábola do bom samaritano havia um forte preconceito racial entre judeus e samaritanos. Naquele tempo, os samaritamos eram considerados pessoas más, e os fariseus, os sacerdotes e os religiosos judeus eram tidos como bons. O fato de o próprio Jesus ser judeu dava ainda mais força à mensagem da parábola. Hoje, os termos foram invertidos. "Bom" e "samaritano" referem-se a qualidades positivas, e ser chamado de "fariseu" tem uma conotação certamente negativa.

Com sua parábola, Jesus nos mostrou que as pessoas são boas ou más devido aos relacionamentos que estabelecem e não a algo que lhes é inerente desde que nasceram. A religião não nos tira da nossa condição humana, pelo contrário – a religião nos faz viver plenamente a condição humana.

PRINCÍPIO ESPIRITUAL: Não podemos escapar do nosso eu, mas podemos encontrá-lo.

JESUS VIA AS PESSOAS COMO ESSENCIALMENTE BOAS?

"Amai os vossos inimigos."
Lucas 6:27

A filosofia que afirma que as pessoas são essencialmente boas é chamada de humanismo. Devido ao amor de Jesus pelos outros e a sua preocupação com o bem-estar de todos, ele é freqüentemente apresentado como um dos grandes exemplos do humanista ideal. Jesus ensinava que devemos amar a todos, até mesmo nossos inimigos. É fácil perceber que Jesus poderia ser usado como um exemplo de alguém que acreditava na bondade essencial das pessoas.

Carl Rogers é um famoso psicólogo conhecido por desenvolver uma teoria baseada na crença na bondade essencial da humanidade.[3] Ele acreditava que todas as pessoas possuem dentro de si um "processo de auto-realização" que as fará saudáveis na presença das condições corretas. Quase todos os terapeutas conhecem a terapia rogeriana como um dos principais exemplos da psicologia humanista.

Certo dia, enquanto o Dr. Rogers conversava com a mãe de uma criança problemática que ele estava tentando tratar, ele descobriu uma coisa muito importante. Depois de terminar a discussão sobre os problemas da criança, a mãe se levantou e foi em direção à porta. Lá chegando, hesitou, voltou-se para o Dr. Rogers e perguntou: "Ainda temos alguns minutos. O senhor se importa se eu disser algumas coisas a meu respeito?" Rogers convidou-a para sentar e escutou atentamente o que a mulher tinha a dizer. Nas próprias palavras dele,

"Naquele momento, a verdadeira terapia começou". Posteriormente, ele descobriu que existe dentro de cada pessoa o que acreditou ser um impulso inato em direção à totalidade, e este impulso é ativado quando a pessoa se sente acolhida e aceita incondicionalmente. Não sei se o Dr. Rogers em algum momento pensou nisso, mas existem algumas surpreendentes semelhanças entre o seu pensamento e o amor incondicional que Jesus ensinou séculos atrás.

Jesus falava do amor divino, que era incondicional. Rogers dizia que a consideração positiva incondicional era essencial para o processo de cura. Jesus descreveu a humanidade como sendo a imagem de Deus, possuindo um valor inerente. Rogers observou um processo de auto-realização inerente em todas as pessoas e afirmou que a autenticidade só acontece quando somos coerentes com nós mesmos.

Jesus disse muitas coisas que apóiam a crença humanista na bondade inerente das pessoas, mas não podemos parar aqui. Jesus também reconheceu os problemas associados a essa crença, e para saber quais são temos que prosseguir na leitura.

PRINCÍPIO ESPIRITUAL: Os bons ouvintes fazem as pessoas serem melhores.

O PROBLEMA DE VER AS PESSOAS COMO BOAS

"Assim, os últimos serão os primeiros e os primeiros, os últimos."
Mateus 20:16

Tyler é um jovem executivo promissor com um brilhante futuro. É inteligente, tem boa aparência e é ambicioso. Tyler se considera uma pessoa realizada por ser independente e competente em tudo o que faz. Ele define força como autoconfiança, até mesmo na presença de circunstâncias extremas.

Tyler procurou a terapia com a namorada porque ela achava que a relação dos dois poderia se beneficiar com um aconselhamento. Ele não julgava precisar do tratamento, mas estava sempre aberto a aprender como poderia ser mais eficiente na vida. "Estamos aqui apenas para um pequeno ajuste" – ele me avisou. "Não estou interessado em um processo longo e arrastado para discutir o que sinto com relação à minha mãe ou qualquer coisa desse tipo." Tyler não gostava de olhar para trás porque se via sempre avançando, e discutir o passado lhe parecia inútil.

Tyler encarava o relacionamento com a namorada como uma tentativa de formar uma parceria. Estava disposto a investir no relacionamento, mas somente se obtivesse um retorno aceitável do investimento. Não queria alguém que dependesse dele; desejava uma parceira cuja contribuição fosse igual à dele.

– Os papéis tradicionais podem ter funcionado nas gerações passadas, mas é impossível vencer na vida hoje em dia se não estivermos dispostos a passar algum tempo sem ter filhos, com os dois trabalhando. Somos duas pessoas progressistas e é isso que dá certo conosco – insistia Tyler.

Eu sabia que os casais que fazem esse tipo de opção conseguem ter uma vida financeiramente bem mais folgada do que as famílias em que somente um dos parceiros trabalha, mas perguntei-me se a realização financeira seria suficiente para satisfazer Tyler a longo prazo.

– Então, você acha que vão querer filhos no futuro? – perguntei.

– Talvez um dia – respondeu Tyler. – Mas estamos aproveitando bastante nossa liberdade no momento.

A coisa à qual Tyler dava mais valor era a independência. Ele estava tentando descobrir como se unir a outra pessoa sem se sacrificar nem um pouco no processo. Só estava interessado no casamento se pudesse vê-lo como um esforço conjunto de duas pessoas, uma parceria experimental que poderia ser dissolvida se não lhe proporcionasse o benefício prometido.

Embora não conseguisse perceber nem admitir, Tyler estava na verdade preso aos vínculos tradicionais que ele considerava tão inadequados. Tyler queria um relacionamento que fosse o exato oposto do de seus pais. Neste sentido, o relacionamento dos pais era o modelo que definia o dele. Por mais que detestasse pesquisar o passado, era exatamente isso o que ele precisava fazer para poder entender as suas decisões para o futuro.

No decorrer do aconselhamento, Tyler foi percebendo que o seu desejo de agir de forma oposta à dos pais significava que ele estava desapontado com a maneira como tinha sido tratado na infância e na adolescência e queria que sua vida fosse diferente. Ele começou a reconhecer que não estava de modo nenhum livre do seu passado. Em vez de ser independente, Tyler descobriu que dependia tanto do seu passado e das outras pessoas que procurava até evitá-las, sem ter consciência de que estava fazendo isso.

O relacionamento de Tyler com a namorada está indo agora de vento em popa. Eles passaram a se comunicar melhor porque estão mais conscientes de seus sentimentos, e as suas expectativas a respeito da relação mudaram. Suas metas financeiras ainda são bastante ambiciosas, mas não mais prioritárias. Tyler está começando a depender emocionalmente de alguém e está descobrindo as vantagens dessa dependência. Em vez de só pensar em si mesmo, ele procura formar uma unidade com a namorada, e isso o deixa feliz.

O individualismo é a crença na autoconfiança e na independência. Aqueles que acreditam no individualismo enfatizam a realização e o sucesso pessoais sem precisar depender dos outros. Se qualquer coisa viola seus direitos individuais, eles se livram dela. Sentem que têm o direito de alcançar a excelência pessoal a qualquer custo.

Os seres humanos na verdade não funcionam dessa maneira. Nós, seres humanos, precisamos fundamentalmente das outras pessoas para poder saber quem somos. Assim como necessitamos de espelhos que reflitam a nossa imagem física, que nos mostrem como parecemos fisicamente, precisamos que as outras pessoas nos retratem emocionalmente, que nos revelem como somos psicologicamente.

A idéia de Jesus de que "os primeiros serão os últimos" é o oposto do individualismo. Embora ele reconhecesse o valor inerente de cada pessoa, as pessoas só eram consideradas boas como conseqüência do seu relacionamento com Deus e com os outros. Jesus nunca ensinou que poderíamos ser bons sozinhos. Para ele, não realizamos nosso pleno potencial por meio da competição e sim através da conexão.

PRINCÍPIO ESPIRITUAL: O indivíduo é uma parte do todo.

AS PESSOAS NÃO SÃO BOAS NEM MÁS

"Eu vos chamo de amigos."
João 15:15

Com a parábola do bom samaritano, Jesus estava falando da natureza humana. Ele não estava dizendo que somos fundamentalmente maus como os ladrões ou automaticamente bons como o samaritano. Nossa natureza essencial, de acordo com Jesus, se manifesta na relação. Nossa necessidade básica é nos relacionarmos uns com os outros a fim de sermos completos. Freqüentemente usamos várias desculpas para negarmos a percepção de que estamos vitalmente ligados aos outros. Eles necessitam de nós e, o que é ainda mais assustador, nós precisamos deles.

A área da minha vida em que tive mais dificuldade em aceitar essa idéia foi a do relacionamento com o meu pai. Raramente víamos as coisas do mesmo jeito e discutíamos com freqüência. Só consigo recordar poucas vezes na minha vida em que não me senti tenso ao lado dele. Nosso relacionamento foi assim até a sua morte.

Quando recebi a notícia de que meu pai estava com câncer, fiquei chocado, em parte porque tinha a ilusão de que essas coisas só aconteciam com as outras pessoas e em parte porque não estava pronto para a sua morte. Eu sabia que o nosso relacionamento não era bom e não queria que ele saísse da minha vida sem que tivéssemos procurado nos aproximar.

Embora não mantivéssemos muito contato desde que eu me tornara adulto, fiz planos para voar até Tulsa e passar o fim de semana com ele quando os médicos lhe deram alta do hospital e o mandaram para casa. Disseram que não podiam fazer mais nada por ele.

Eu não sabia o que ia dizer, mas queria ter um tipo de conversa que não causasse conflito entre nós. Aquele iria ser um dos momentos mais importantes da minha vida.

Nunca me esquecerei da minha última noite com ele. Eu estava sentado na beira da sua cama, buscando em vão palavras que expressassem como eu lamentava o nosso doloroso relacionamento. De um jeito que não era do seu feitio, ele me disse:

– Mark, não temos conversado muito depois que você saiu de casa. Por que você não fala a respeito da sua vida hoje em dia?

Sem pensar, deixei escapar:

– Nossas conversas nunca foram fáceis.

Calmamente, ele retrucou:

– Bem, se abaixarmos a cabeça e rezarmos, você acha que poderemos conversar? Você conversa tão bem.

Chorando, abaixei a cabeça e rezei junto com ele. Nas quatro horas seguintes tive a melhor conversa da minha vida com meu pai. Na verdade, acho que foi o único diálogo verdadeiro que tivemos. Descobri coisas a respeito da vida dele que eu nunca soubera e contei-lhe coisas a meu respeito. Pedi que me perdoasse por ter saído de casa tão zangado anos antes e viverei o resto da minha vida lembrando das últimas palavras que eu disse ao meu pai: "Eu te amo."

Uma das lições que aprendi naquele dia foi que não apenas eu, mas nós dois precisávamos curar nosso relacionamento. Ele entrou em coma no dia seguinte e não voltou a recuperar a consciência. Tinha resolvido seus problemas e estava pronto para partir. Compreendi que eu também tinha assuntos não-resolvidos. De certa maneira, estava empacado e não conseguia levar a minha vida adiante por não ter resolvido meu relacionamento com ele. Era em meu benefício que eu precisava perdoá-lo.

Somos profundamente influenciados pelos nossos relacionamentos com os outros. Precisamos deles para podermos ser saudáveis e completos. O fato de estarmos com raiva de uma pessoa não significa que cortamos o relacionamento com ela. A enorme distância física que eu colocara entre meu pai e eu não diminuiu nem um pouco o impacto do meu relacionamento com ele. Minha vida está melhor porque tive a oportunidade de fazer as pazes com meu pai antes de sua morte. Este fato me ajudou a reconhecer a importância de todos os meus relacionamentos, até mesmo dos mais difíceis, para tornar-me quem eu sou.

Olhando para trás agora, consigo ver que nem eu nem meu pai éramos pessoas más no nosso relacionamento. Ambos estávamos contribuindo para os nossos problemas e nós dois tínhamos a responsabilidade de fazer alguma coisa a respeito da situação. Era somente a nossa mágoa que estava impedindo que fizéssemos as pazes. Exatamente como na parábola do bom samaritano, éramos como o homem espancado quando sentíamos que estávamos sendo feridos pelo outro, como os ladrões quando perpetuávamos a mágoa entre nós e como os levitas e os sacerdotes quando estávamos ocupados demais para nos dar ao trabalho de tentar melhorar as coisas. Graças a Deus conseguimos no final ser o bom samaritano quando paramos e fizemos um movimento para nos relacionarmos um com o outro.

Jesus nos ensinou que, além de amar os outros, devemos tratar os mais próximos de nós como amigos. Isso muitas vezes é extremamente difícil. Embora Jesus se considerasse um líder, um profeta e até mesmo o Filho de Deus, quando ele disse aos seus seguidores: "Eu vos chamei de amigos", estava fazendo uma declaração a respeito da essência das pessoas. Não existe nada mais importante do que a nossa escolha deliberada e consciente de construir um relacionamento amoroso com aqueles que nos cercam, por mais difícil que isso seja. Este é um dos princípios que uso na terapia e que também tem me ajudado na minha vida pessoal.

PRINCÍPIO ESPIRITUAL: Às vezes tratamos aqueles que amamos como nunca trataríamos nossos amigos. Devemos pedir perdão por isso.

A IMAGEM DE DEUS NA TERRA

"O Pai está em mim, e eu no Pai."
João 10:38

Darren começou a fazer terapia quando estava no ensino médio e continuou a se tratar de um modo intermitente. Embora tenha se beneficiado de alguma maneira, também foi tratado com técnicas que considero ultrapassadas.

Darren era muito tímido e reservado. Sua auto-imagem era medíocre e acreditava que ninguém estava realmente interessado nele. Tinha poucos amigos e só conseguia manter um contato social nos bares depois que afastava as suas inibições com doses significativas de álcool. É claro que essa atitude dava origem a outros problemas.

Em determinado momento, Darren topou com uma forma de terapia que fez com que ele se soltasse bastante. Disseram-lhe que fosse para uma sala repleta de outros pacientes e extravasasse quaisquer emoções que quisesse. Baseado no comportamento dos outros, Darren pôs-se a gritar e a se jogar no chão. De repente, foi capaz de expressar uma raiva violenta que reprimira a vida inteira. Ao contrário do que poderia esperar, Darren não foi rejeitado pelos seus sentimentos de raiva; na verdade, foi elogiado por ser capaz de expressá-los com tanta liberdade. Ele se sentiu livre. Darren mal conseguia acreditar que pudesse mostrar aos outros o que tinha de mais inaceitável e repulsivo, e mesmo assim ser aceito. É extremamente curativo quando, em vez de sermos rejeitados, somos aceitos ao expressar os sentimentos que censuramos.

No entanto, os efeitos dessa experiência não duraram. Em algum nível mais profundo, Darren não conseguiu acreditar que os outros o estivessem verdadeiramente aceitando. Ele achou que estavam fingindo, como todas as pessoas de sua vida. Inconscientemente, imaginou que havia algo a seu respeito que elas rejeitariam. Assim, suas explosões de raiva começaram a aumentar progressivamente. Gritava com os outros, derrubava a mobília e desafiava zangado os terapeutas quanto estes tentavam colocar limites no seu comportamento.

Darren foi finalmente convidado a retirar-se do grupo de terapia, o que o deixou muito magoado. Os terapeutas reconheceram sua necessidade de se expressar, mas não perceberam a importância do relacionamento deles com Darren quando ele se manifestava.

O simples fato de expressarmos nossas emoções não é benéfico, mas ser acolhido e compreendido ao externá-las pode ajudar muito na cura. Quando Darren sentia que a expressão dos seus sentimentos era aceita pelos outros, a terapia era capaz de curar mágoas passadas. Mas quando ele se sentiu rejeitado por expressar a sua raiva, a terapia se tornou uma repetição de traumas passados. Como já disse antes: os psicólogos estão reconhecendo hoje em dia a importância essencial dos relacionamentos em nossa vida, e a nossa terapia precisa sempre considerar este fato.

Jesus ensinou que não podemos viver sem um relacionamento com Deus e com os outros, assim como não somos capazes de existir sem o ar que respiramos. Tentar viver uma vida isolada significaria violar a nossa natureza. Reconhecer que dependemos fundamentalmente de alguém fora de nós é a única maneira de satisfazer a nossa natureza. Muitos psicólogos estão chegando à mesma conclusão. Estamos reconhecendo que as pessoas só podem ter um "eu" ao se relacionarem com os outros.[4]

Jesus sempre se viu em um constante relacionamento com Deus.[5] Ele disse: "O Pai está em mim, e eu no Pai." Esta profunda conexão entre eles era um modelo de como ele queria que nos víssemos. Os seres humanos não podem viver isolados.

PRINCÍPIO ESPIRITUAL: A imagem de Deus em nós é a nossa capacidade de nos relacionarmos.

A INTERPRETAÇÃO ERRADA DO OBJETIVO DA VIDA DE JESUS

"A princípio seus discípulos não compreenderam . . ."
João 12:16

O domingo de Ramos é lembrado na igreja cristã como o início da semana mais importante da vida de Jesus. Nesse domingo ele foi para Jerusalém viver seus últimos dias na Terra. As pessoas que souberam que ele estava chegando enfileiraram-se nas ruas para saudá-lo, agitando folhas de palmeira como um símbolo de vitória para um poderoso dirigente, mais ou menos como fazemos quando papéis são jogados dos prédios para receber os heróis.

Para surpresa de todos, Jesus chegou montado em um jumento. Em vez de chegar à cidade com grande pompa, ele se serviu de um humilde meio de transporte para cumprir uma antiga profecia. Ele queria deixar uma coisa bem clara: ele era alguém com quem qualquer um podia se relacionar. Até mesmo João, o amigo mais chegado de Jesus, escreveu mais tarde a respeito desse evento dizendo que "não tinha entendido". As pessoas, tanto naquela época quanto agora, têm a tendência de achar que, se Jesus tinha o poder de mudar o mundo, ele deveria ter planos drásticos para varrer a corrupção e o mal que permeava o planeta. Jesus, porém, parecia continuar a dizer às pessoas que elas precisavam se relacionar com Deus.

Meu amigo Steve não se interessa por religião, especialmente pelo cristianismo. Para ele, Jesus era um rabino moralista que se exibia como se possuísse uma virtude superior, tentando fazer as pessoas se sentirem culpadas se não agissem da mesma maneira. Steve acredita que a religião traz à tona o que há de pior nas pessoas, aproveitando-se da culpa que elas sentem.

Infelizmente, acho que muitas pessoas religiosas também pensam como Steve. Muitas são religiosas porque se sentem culpadas e têm esperança de que através das práticas religiosas podem ser salvas. Elas seguem rituais religiosos, fazem contribuições financeiras e tentam viver uma vida religiosa para não se sentirem mal com relação a si mesmas. A noção de que Jesus queria mostrar às pessoas que elas são más para que vivam de forma mais digna é uma interpretação errada das idéias de Jesus.

Jesus criticava o comportamento de algumas pessoas, mas aquelas que ele mais censurava eram exatamente as religiosas. Raramente ele reprovava as pessoas comuns. Quando se deparava com alguém que estivesse se comportando mal, dizia para a pessoa "ir embora e não pecar mais", sem dar ênfase ao mau comportamento. O objetivo da vida de Jesus não era demonstrar que as pessoas eram más, mas fazer com que elas soubessem que precisavam relacionar-se com Deus e com os outros de forma amorosa. Ele acreditava que, se reconhecêssemos essa necessidade humana básica, não desejaríamos agir de modo nocivo. É fácil enganar-se ao interpretar o objetivo da vida de Jesus se encararmos sua missão como um dever moral, se acreditarmos que Jesus considerava que as pessoas eram fundamentalmente más e precisavam ser moralmente libertadas através de princípios religiosos. O objetivo da vida de Jesus não era fazer com que tivéssemos mais moralidade e sim nos tornar mais amorosos em nossas relações.

PRINCÍPIO ESPIRITUAL: A boa moralidade se origina nos bons relacionamentos.

VOLTANDO AO JARDIM DO ÉDEN

"Eu vim para que elas tenham vida, e a tenham em abundância."
João 10:10

Há anos Michael não fala com o irmão, Tom. Todos na família estão a par da animosidade existente entre os dois, mas ninguém sabe o que fazer a respeito. Ambos são teimosos e cada um acha que foi profundamente ofendido pelo outro. Na última vez que a mulher de Michael tentou discutir a situação com ele, a conversa terminou com Michael gritando: "Não quero que o nome dele volte a ser mencionado nesta casa."

Na verdade, nem Michael nem Tom conseguem se lembrar de como surgiu a inimizade entre eles. No entanto, ambos são capazes de recordar numerosos incidentes que usam para manter ativo o ódio existente entre os dois. Michael sente raiva de Tom por este não ser o tipo de irmão mais velho de que ele precisava, e Tom também sente raiva de Michael por vê-lo tão ressentido. Cada um acha que o outro lhe deve satisfações e nenhum dos dois está interessado em fazer alguma coisa para melhorar a situação.

O que nenhum dos dois percebe é que ambos precisam um do outro para serem completos. A guerra entre os irmãos produz feridas e sofrimentos nos dois. Apesar do que Freud achava originalmente, não é natural que membros de uma mesma família sejam agressivos uns com os outros. Esse tipo de animosidade é um sinal de que algo está errado.

Michael precisa reconciliar-se com Tom em seu próprio benefício. Ele resiste à idéia de aproximar-se do irmão por achar que estaria "cedendo". O que ele não percebe é que está prejudicando a si mesmo por permitir que o desentendimento continue. A reconciliação cura as feridas da nossa alma. A amargura e a raiva de Michael em relação ao irmão afetam todos os seus relacionamentos.

Jesus via o trabalho da sua vida como a reconciliação da humanidade com Deus. As Escrituras judaicas ensinavam que Adão e Eva haviam sido expulsos do Jardim do Éden por terem desobedecido a Deus. Do ponto de vista teológico, esse evento foi chamado de Queda, porque a humanidade caiu em desgraça em relação a Deus. A missão de Jesus era mostrar-nos o caminho de casa.

Quando penso nessa "Queda" a partir de uma perspectiva psicológica, me pergunto: "De onde eles caíram?" A resposta que Jesus daria é a seguinte: "De um relacionamento com Deus." O que a humanidade perdeu no Jardim do Éden foi o relacionamento íntimo com Deus. Jesus viu a si mesmo como a ponte entre Deus e a humanidade. Essa foi a nossa redenção, o nosso relacionamento restaurado com Deus.

Acredito que a vida seria melhor se pensássemos com mais freqüência que a nossa salvação consiste em restabelecer os relacionamentos rompidos. Quando um relacionamento se rompe, a maioria das pessoas se preocupa em descobrir quem está errado. Quando somos feridos, procuramos logo o culpado, querendo que pague por isso. Jesus, por outro lado, achava que as coisas poderiam ser reparadas a partir do que *damos* aos outros e não do que *recebemos* deles como forma de pagamento.

PRINCÍPIO ESPIRITUAL: Nós nos salvamos restaurando os relacionamentos.

CAPÍTULO 3

Entendendo o crescimento

"Ninguém põe um remendo de pano novo em roupa velha, porque o remendo repuxa a roupa e o rasgão fica pior. Nem se põe vinho novo em odres velhos. Do contrário, rompem-se os odres, o vinho escorre e os odres se perdem. Mas coloca-se o vinho novo em odres novos, e assim ambos se conservam."

Mateus 9:16-17

Jesus ensinou que as pessoas que estão crescendo são sempre capazes de mudar sua maneira de pensar a respeito das coisas. À medida que nos desenvolvemos e mudamos, antigas convicções inflexíveis são destruídas e deixam de funcionar para nós, assim como um odre velho se rompe quando o enchemos com vinho novo que então se expande.

As crenças que existem no nosso inconsciente são chamadas de *princípios organizadores*. À medida que passamos pela vida, acumulamos crenças a respeito de nós mesmos e do mundo que nos cerca. Esses princípios organizadores agem automaticamente, na maior parte das vezes sem que percebamos, determinando nossas escolhas e reações, e são a base da nossa auto-estima.

É somente quando nos tornamos conscientes desses princípios organizadores inconscientes que podemos abrir espaço para novas convicções. Essa tomada de consciência promove o crescimento, assim como um odre novo acolhe o vinho novo.[1]

QUANDO A TOMADA DE CONSCIÊNCIA GERA O CRESCIMENTO

"Nem se põe vinho novo em odres velhos."
Mateus 9:17

Sempre que David entrava no meu consultório, era inundado por dolorosos sentimentos de insegurança. Ele morria de medo de falar o que sentia por temer dizer alguma coisa que me fizesse ficar triste com ele. O fato de David temer a minha rejeição resultava em longos e dolorosos silêncios nas nossas sessões.

David tinha muitas lembranças de entrar no escritório do pai quando criança e ficar quieto, esperando que o pai conversasse com ele. Infelizmente, o pai estava com freqüência ocupado demais para notar a presença de David. Como o menino nunca falava e nem o perturbava, o pai nunca pediu que ele se retirasse, o que criou a seguinte crença – princípio organizador – no inconsciente de David: "Se eu não perturbar as pessoas, não serei rejeitado." O aspecto negativo desse princípio organizador era que David nunca tentava obter aceitação; ele estava constantemente tentando evitar a rejeição. Esse é um processo sem fim.

Depois de algum tempo na terapia, David tomou consciência de que estava automaticamente *supondo* que iria ser rejeitado se dissesse qualquer coisa perturbadora. Como tinha um enorme cuidado para não incomodar as pessoas, ele nunca se abria o suficiente para descobrir se as suas suposições estavam ou não corretas. O resultado foi que nada mudou para David. Sua timidez evitava que ele fosse rejeitado, mas também o impedia de descobrir se iria ou não ser aceito.

As coisas mudaram quando David compreendeu que seu medo da rejeição se baseava em uma convicção inconsciente. Quando ele se deu conta desse princípio organizador, conseguiu encarar de modo diferente seus relacionamentos com os outros. Em vez de pensar: "Preciso ficar quieto para evitar a rejeição", passou a pensar: "Sempre tive medo de dizer o que sentia, mas a não ser que eu fale nunca vou *realmente* saber como as pessoas irão reagir." Este pensamento lhe deu coragem para se abrir com as pessoas e ele começou a ter relacionamentos muito mais satisfatórios. Descobriu rapidamente que não iria ser rejeitado todas as vezes que dissesse o que estava pensando. De fato, passou a encontrar a aceitação que tanto queria receber do pai. O sentimento de ser aceito fortaleceu David e permitiu que ele crescesse e mudasse de muitas maneiras.

Jesus tinha um objetivo. Estava decidido a tornar as pessoas conscientes do seu relacionamento com Deus. No entanto, ele sabia que tinha que enfrentar alguns obstáculos. Uma das maiores barreiras era o fato de as pessoas ficarem presas a suas antigas convicções e formas de pensar. Ele tinha que fazê-las perceber esse aprisionamento antes de conseguir que elas se abrissem a novas idéias.

O crescimento humano é como o vinho novo. Jesus sabia que crenças antigas e inflexíveis são como os velhos odres que se rompem e não funcionam na presença do crescimento. Ele sabia que é necessário descobrir que as nossas antigas crenças precisam mudar se quisermos usufruir os benefícios do desenvolvimento. Como diz o antigo ditado: "Quanta água você consegue colocar em um barril de óleo de vinte litros? Nenhuma. Primeiro temos que tirar um pouco do óleo."

PRINCÍPIO ESPIRITUAL: As pessoas sábias estão sempre abertas a novas idéias e crenças, e até a respeito de si mesmas.

QUANDO O CRESCIMENTO GERA A TOMADA DE CONSCIÊNCIA

"Pois é pelo fruto que se conhece a árvore."
Mateus 12:33

Como sabemos se uma macieira é saudável e está crescendo? Pela qualidade dos frutos que ela produz. Jesus sabia que o mesmo era verdade no caso das pessoas. Podemos achar que estamos nos desenvolvendo, ou dizer que estamos, mas nos enganarmos. Ou então podemos pensar que estamos fazendo um grande progresso na vida, mas depois descobrir que o crescimento só aconteceu quando nos tornamos conscientes de nós mesmos.

Donna faz terapia há vários anos. Ela nunca teve muitos amigos, de modo que a sessão de terapia é um dos poucos momentos na semana em que ela se abre para outro ser humano. No início, achei que Donna talvez não fosse muito perspicaz, mas depois compreendi que para ela as ações falam mais alto do que as palavras.

Passei muitas das sessões com Donna apenas ouvindo o que ela tinha a dizer. Levei algum tempo para perceber que era exatamente isso de que ela precisava. Raramente Donna pareceu se beneficiar com minhas idéias. O que ela parecia querer era a minha atenção completa e exclusiva.

Depois de algum tempo, Donna me disse: “Fiz uma descoberta outro dia quando estava numa loja. Finalmente compreendi por que me sinto tão pouco à vontade ali dentro. Tenho sempre a impressão de que quando eu me aproximar do balconista, ele não vai gostar de mim. Acabei entendendo o que você vem tentando me dizer esses anos todos. A minha *expectativa* é de que as pessoas não gostem de mim. Agora eu entendo!”

Fiquei ao mesmo tempo aliviado e um tanto ou quanto sem graça. Durante anos eu vinha tentando forçar Donna a assimilar a minha interpretação a respeito do seu medo inconsciente de que as pessoas não fossem gostar dela. No entanto, o que ela precisou foi simplesmente que eu a ouvisse com interesse e atenção, até sentir que eu gostava dela. Como passou a acreditar que eu poderia gostar dela, sentiu-se confiante o bastante para entender que a sua expectativa era de que os outros não fossem gostar. Às vezes o crescimento precede a descoberta.

Jesus estava mais interessado em convidar as pessoas a terem um relacionamento com ele do que em defender uma filosofia. O fato de as pessoas *compreenderem* as coisas não era bastante para Jesus; ele queria que elas se *relacionassem* amorosamente com Deus e com os outros. Para ele, conhecer idéias era menos importante do que desenvolver relacionamentos pessoais.

Jesus ensinava que as pessoas só conhecem a si mesmas quando se sentem amadas por Deus. Ele acreditava que só podemos realmente entender sua mensagem quando há um encontro pessoal. Assim, o crescimento que *sentimos* por sermos amados nos prepara para tomarmos consciência do que isso significa.

PRINCÍPIO ESPIRITUAL: O conhecimento de nós mesmos é fruto do crescimento pessoal.

A ARROGÂNCIA NASCE DO CORAÇÃO INSENSÍVEL

"Por que seus corações são tão duros?"
Marcos 8:17

Embora a Sra. Adams freqüente regularmente a igreja, temos a impressão de que ela não gosta realmente das pessoas. Ela está interessada em adquirir conhecimentos sobre a Bíblia, mas tem muito pouca tolerância com aqueles que sabem menos do que ela. Ao debater questões religiosas, ela parece a dona da verdade querendo mostrar aos outros em que ponto eles estão errados.

Um dos seus ditados favoritos é: "Deus ajuda aqueles que ajudam a si mesmos." Este axioma a ajudou a sobreviver na vida, porque ela não estaria onde está hoje se não acreditasse na virtude do trabalho árduo. O problema é que ela parece ter pouco respeito pelos outros. Os membros da sua família têm medo de que qualquer coisa que façam não fique à altura dos padrões dela, e os membros da sua igreja sentem que ela os censura por não serem tão versados na Bíblia quanto deveriam.

A Sra. Adams limita os seus relacionamentos com todo mundo que conhece porque só tem uma maneira de ver as coisas.

Não há nada de errado com o conhecimento da Sra. Adams a respeito da Bíblia. Seu problema é que ela tem *medo* de alimentar qualquer idéia nova. Ela exibe uma quase arrogância com relação ao seu conhecimento da Bíblia para disfarçar o medo de não saber o que ela acha que deveria conhecer. A maneira autoritária de suas conversas com os outros tem mais a ver com o que ela sente no coração do que com o que sabe ser verdade na cabeça.

Não é o amor da Sra. Adams pela Bíblia que a faz estudá-la com tanto zelo; é o seu princípio organizador – sua crença – inconsciente: "É preciso trabalhar arduamente para ser amada." Infelizmente, aqueles que não compartilham as convicções da Sra. Adams freqüentemente se sentem pouco à vontade em sua presença. Se ela fosse aberta a pontos de vista diferentes dos seus, talvez conseguisse aceitar melhor os outros e ser aceita por eles. Se não perceber que está sendo guiada por princípios organizadores inconscientes, e não por verdades bíblicas, é pouco provável que venha a mudar.

Os princípios organizadores têm um aspecto positivo. Não poderíamos funcionar sem os princípios que desenvolvemos a partir das lições que aprendemos na vida. O aspecto negativo é fixar-se neles e recusar-se a mudar. Jesus ensinou que o pensamento *rígido* é prejudicial aos relacionamentos, porque precisamos ser abertos e sensíveis aos outros. Ele acreditava que a mente fechada é na verdade um problema do coração das pessoas, uma forma de insegurança e de defesa.

Quando penso, como psicólogo, no que Jesus estava tentando fazer as pessoas perceberem, acho que ele procurava levá-las a descobrir que os princípios organizadores inconscientes não são maus por si. Ele não queria que as pessoas jogassem fora suas antigas leis e convicções; queria que elas acrescentassem outras às que já tinham e se dispusessem a mudar. Ele ficava frustrado com as pessoas que não queriam aprender nada novo. Aqueles que afirmam "saber tudo" fazem isso porque estão presos a princípios organizadores inconscientes e têm medo de mostrar qualquer ignorância.

PRINCÍPIO ESPIRITUAL: Os donos da verdade precisam descobrir a verdade a seu respeito.

POR QUE AS PESSOAS NÃO CONSEGUEM MUDAR

"Sois aqueles que vos justificais."
Lucas 16:15

Aaron só se interessou pela terapia depois de se divorciar. Sua ex-mulher insistira durante anos para que ele fosse se tratar, mas só depois de ela ir embora ele se decidiu. Aaron não achava que os problemas do seu casamento fossem totalmente causados por ele, de modo que se recusava a assumir a responsabilidade. Quando sua mulher dizia que ele precisava de terapia, Aaron se sentia acusado.

Aaron começou sua primeira sessão fazendo declarações altamente positivas.

– Minha infância foi ótima – afirmou. – Eu respeitava o fato do meu pai trabalhar muito para nos sustentar, não odeio a minha mãe e tenho uma boa auto-estima. Não estou sabendo *como* você pode me ajudar.

Tudo que consegui responder foi:

– Você é um homem de sorte. E me pergunto por que está aqui.

– Bem, não quero que esse divórcio me prejudique – retrucou ele –, então achei que você talvez possa me dar alguns conselhos sobre o que devo fazer.

Aaron não queria realmente os meus conselhos e provavelmente não os teria aceito. Na verdade, o que ele precisava era entender melhor a si mesmo para poder descobrir o que fazer. Era *para isso* que ele precisava da minha ajuda. Enquanto Aaron não percebesse que não se conhecia tão bem quanto imaginava, seria complicado ajudá-lo. É muito difícil ajudar as pessoas quando elas não acreditam que precisam de auxílio.

Aaron deixou sua breve terapia igual ao homem que era quando começou. Embora tenha me garantido que aprendeu muito durante o tempo que passamos juntos, eu não estava certo de que ele tivesse aprendido muito a respeito de *si mesmo.* "Agora posso dizer que fiz terapia", anunciou ele orgulhosamente na nossa última sessão. "Ela confirmou algumas coisas que já venho pensando há algum tempo e me ajudou a me sentir melhor a respeito de mim mesmo." Geralmente fico feliz quando as pessoas se sentem assim, mas não no caso de Aaron. Eu estava esperando que, em vez de se sentir melhor a respeito de si mesmo, ele passasse a se compreender melhor.

Jesus sabia que as pessoas têm a tendência de se "justificar". Temos o hábito de achar que somos acima da média, e para nos sentirmos assim procuramos minimizar nossos problemas. Mas não é o mesmo que enfrentá-los. As tentativas de Aaron de se justificar atrapalhavam a sua capacidade de compreender a si mesmo e ele não iria mudar enquanto continuasse a fazer isso.

É muito difícil mudar o que não entendemos. Para mudar os padrões de pensamento e comportamento de uma vida inteira temos que nos conhecer e compreender. Sinto-me geralmente pouco à vontade quando as pessoas chegam dizendo coisas como: "Ninguém me conhece melhor do que eu" ou "Pensei sobre a minha infância e sei por que sou do jeito que sou". Acho que nos conhecemos parcialmente, e pensar que já entendemos tudo o que é preciso sobre nós mesmos é como colocar um par de antolhos que dificultam o crescimento e a mudança. A principal razão pela qual as pessoas não conseguem mudar é que elas não compreendem a si mesmas o suficiente para perceber quando a mudança é necessária.

PRINCÍPIO ESPIRITUAL: Quando achamos que já chegamos, paramos de avançar.

PARE DE VIVER NO PASSADO

"Deixa que os mortos enterrem os seus mortos."
Lucas 9:60

A mulher de Burt insistia com ele para que fizesse terapia. Como Burt estava interessado em ser bom marido e bom pai, ele fez o que ela estava pedindo.

– Sei que não sou perfeito – disse ele –, de modo que gostaria de examinar meu temperamento. Às vezes fico muito zangado.

– É um bom lugar para começar – eu falei.

– Mas não quero ficar desencavando o que está morto e enterrado – prosseguiu Burt. – Gosto de esquecer o passado e seguir em frente.

Para surpresa de Burt, fiz coro com ele.

– Concordo plenamente com você. Se algo está morto e enterrado, não vejo nenhuma razão para revolvê-lo.

Como a esposa lhe tinha dito que os psicólogos gostam de lidar com questões da infância, Burt não soube o que retrucar. Prossegui então:

– Mas às vezes enterramos coisas que estão vivas.

Burt não percebia que eventos do passado podem ainda estar nos influenciando *hoje*. Nós, psicólogos, não falamos sobre o passado por termos um interesse mórbido por circunstâncias dolorosas. Tentamos entender os acontecimentos passados para poder determinar até que ponto eles ainda estão vivos e ativos no inconsciente no momento presente.

Embora ele não soubesse, a sua recusa de examinar o passado o estava mantendo preso a ele. Burt não ficava pensando no passado; ele estava vivendo nele. Quando começou a examinar os dolorosos eventos que recuavam até sua infância, passou a entender o que desencadeava suas explosões de raiva. Havia certamente acontecimentos que estavam mortos e enterrados, mas as coisas que provocavam nele uma reação emocional ainda estavam vivas e ele precisava lidar com elas.

Quando se reconciliasse com essas coisas, poderia ficar livre para reagir de modo diferente quando um acontecimento do presente as trouxesse à tona. Só então Burt poderia realmente dizer que não estava vivendo no passado e que agora seguia adiante.

Viver presos a princípios organizadores inconscientes faz com que vivamos no passado. É somente ao examinar as crenças inconscientes moldadas pelo nosso passado que podemos ficar livres para desenvolver as novas convicções de que necessitamos no nosso presente. Se não desenvolvermos novos pontos de vista, não teremos outra alternativa senão seguir as antigas convicções. Jesus ensinava o que os psicólogos acreditam hoje: que é melhor escolher conscientemente o que acreditamos no presente do que seguir inconscientemente os padrões do passado.

As pessoas espiritualmente vivas estão crescendo e aprendendo coisas novas. Viver a partir de padrões rígidos do passado resulta na morte espiritual, antes mesmo da morte física. É assim que os "mortos" podem "enterrar os mortos". Se quisermos permanecer espiritualmente vivos, temos que desenvolver conscientemente novas convicções que surgem com o crescimento.

PRINCÍPIO ESPIRITUAL: Aqueles que não aprendem com o passado vivem presos a ele.

COMO AS PESSOAS CRESCEM

"É na fraqueza que meu poder é mais forte."
2 Coríntios 12:9

Fred venceu na vida pelo próprio esforço. É um homem muito culto, bem-sucedido e que se encontra em boa forma física. A maioria das pessoas acha que Fred é um homem realizado, o que é exatamente o que ele pensa a seu próprio respeito. Fred se considera capaz de resolver com sucesso praticamente qualquer situação e não consegue ver nenhum aspecto negativo em si mesmo.

O controle é importante para Fred. Ele quer controlar o seu peso, suas emoções e dirigir o seu destino. Considera uma fraqueza não estar no domínio da situação. Para demonstrar que está no controle, Fred constantemente acrescenta realizações à sua vida. Sua conta bancária está crescendo, ele está subindo na empresa e estuda à noite para obter outro diploma.

As coisas estão melhorando na vida de Fred, mas a sua capacidade de desfrutar essas coisas está diminuindo e ele se sente insatisfeito e muitas vezes angustiado. O controle que exerce e os bens que acumula não estão mais funcionando como antes. Fred ainda não compreendeu que as circunstâncias estão mudando, mas ele não. Aumentar não é o mesmo que crescer.

A necessidade de atingir um bom desempenho tem origem na convicção inconsciente de Fred de que quanto mais, melhor. Ele nunca realmente parou para avaliar essa convicção; simplesmente tem vivido obedecendo a ela. Em cada ano em que ganhou mais dinheiro, conquistou mais diplomas ou superou os números do ano anterior, ele na verdade não cresceu nem um pouco. Simplesmente viveu segundo os mesmos princípios organizadores que determinaram sua vida no ano anterior; apenas as quantidades e os detalhes das suas realizações foram diferentes. Ele continuou igual. Para realmente crescer, Fred teria que aprender algo novo a respeito de si mesmo, o que exigiria que admitisse para si e para os outros que ele não é uma pessoa completamente realizada. Mas isso é extremamente difícil para ele.

Para que Fred crescesse espiritualmente, ele precisaria aceitar que não pode fazer tudo sozinho. Para adquirir força espiritual, Fred teria que primeiro tomar contato com sua fraqueza. Teria que reconhecer que precisa da ajuda dos outros para entender as coisas a respeito de si mesmo que não consegue ver. O que vai ajudar Fred a crescer é aprender a abrir-se para que os outros possam ensinar-lhe coisas a respeito dele. Fred sempre soube que só conseguimos o que queremos se pedimos, mas o que ele ainda não sabe é como pedir.

Jesus ensinou que o crescimento espiritual não é um objetivo que possamos alcançar sozinhos. Precisamos de Deus e dos outros. Esta necessidade não é um sinal de fraqueza, e sim o começo da força. Muitas pessoas prefeririam acreditar que podem mudar por si mesmas em vez de pedir aos outros que as ajudem. Esta atitude geralmente impede o crescimento delas.

A verdade é que não podemos nos conhecer o suficiente sozinhos. Os princípios organizadores inconscientes que moldam nossa vida estão essencialmente fora do alcance da nossa percepção. Precisamos de outra pessoa que nos revele coisas a nosso respeito que não conseguimos ver. Jesus queria nos mostrar que devemos pedir ajuda para poder crescer. Às vezes a única coisa que atrapalha é achar que pedir é sinal de fraqueza.

PRINCÍPIO ESPIRITUAL: Até mesmo aqueles que conseguem o que querem precisam pedir o que necessitam.

OS TERAPEUTAS E AS LÂMPADAS

"Quem tem ouvidos, ouça."
Mateus 11:15

Conheço uma antiga piada que diz: "Quantos terapeutas são necessários para mudar uma lâmpada queimada? Nenhum. Ela precisa querer mudar."

Embora seja preciso que os outros nos ajudem a crescer, também é necessário que tenhamos vontade de fazê-lo. É comum não querermos realmente crescer porque isso significaria ter que examinar o que existe dentro de nós, e tememos o que poderíamos ver.

Kaitlyn foi criada para manter tudo em segredo. Ninguém na escola deveria ter conhecimento do caos e da vergonha que reinavam no seu lar. Quando chegava em casa, ela nunca sabia se iria encontrar a mãe desmaiada no chão da cozinha ou em que estado o pai estaria. Sem saber como lidar com o alcoolismo dos pais, ela simplesmente guardava tudo dentro de si.

Após participar durante anos de um grupo de ajuda para filhos adultos de pais alcoólatras, Kaitlyn decidiu fazer terapia. Ela sabia que não era culpada pelo fato de sua auto-estima ser tão baixa, mas sentia que seria culpa sua deixar as coisas como estavam.

Embora Kaitlyn acredite que tem medo de quase tudo, eu a considero corajosa. Para mim, ter coragem é saber que temos medo, mas mesmo assim escolher dizer sim à vida. O fato de Kaitlyn decidir fazer terapia foi exatamente isso. Ela tinha muito medo de falar sobre a infância; era um pesadelo que não queria voltar a viver. No entanto, Kaitlyn tinha vontade de tomar decisões melhores para a sua vida e estava determinada a fazer com que a terapia a ajudasse nesse sentido.

No início, sua pergunta "Por que continuo a fazer essas coisas?" continha um sentimento de autocensura, porque ela tinha vergonha das decisões erradas que tomara. Mas logo a pergunta adquiriu um tom de curiosidade; ela realmente queria saber a resposta. Por mais doloroso que fosse discutir os acontecimentos da infância que haviam moldado dramaticamente sua personalidade, Kaitlyn estava sempre disposta a examiná-los, na esperança de mudar.

Hoje, Kaitlyn não é mais a pessoa tímida na qual estava se transformando. Ela é capaz de concentrar-se no trabalho, de relacionar-se abertamente com os outros e não se sente atraída como antes por pessoas problemáticas. Kaitlyn cresceu. Uma das principais razões pelas quais Kaitlyn está diferente é o fato de desejar entender de que maneira o seu passado difícil contribuiu para ela ser quem é hoje. Sua infância ainda lhe causa medo, mas ela não vai permitir que seus temores a impeçam de compreender o que precisa saber a respeito de si mesma. Não é a ausência de medo que faz com que Kaitlyn tenha coragem suficiente para crescer; é fundamentalmente a sua disposição de entender as coisas que sempre a assustaram.

Jesus estabeleceu uma distinção entre as pessoas que estavam interessadas em mudar a própria vida e aquelas que não estavam. Ele disse: "Quem tem ouvidos, ouça." Ele partia do princípio de que todo mundo era capaz de mudar e oferecia às pessoas a oportunidade de crescer baseada exclusivamente na disposição de aceitá-la. O crescimento exige que estejamos prontos para ouvir a nós mesmos e dispostos a lidar com o que encontrarmos. Jesus ensinou que temos que ter coragem para crescer. É preciso querer.

PRINCÍPIO ESPIRITUAL: A coragem não é a ausência do medo e sim a presença da fé apesar do medo.

ÀS VEZES NÃO PODEMOS VOLTAR PARA CASA

"Não há profeta sem honra, a não ser na sua pátria e na sua casa."
Mateus 13:57

Quando Emily procurou-me para fazer terapia, ela estava preocupada com a sua dificuldade em lidar com os relacionamentos no trabalho. Ela se considerava insegura e ineficaz com as pessoas. Logo percebemos que seus sentimentos de ineficácia estavam relacionados à sua mãe. Foi ela que fez Emily começar a acreditar que era um fardo para as outras pessoas. Se acreditamos que a nossa própria mãe nos considera um fardo, não é preciso muito esforço para imaginar que todas as outras pessoas nos vêem da mesma maneira.

Emily estava presa ao princípio organizador inconsciente: "Meus sentimentos são um fardo para os outros." Esta crença inconsciente a tornava hesitante em todos os seus relacionamentos. O resultado era que a maioria das pessoas desconhecia a opinião de Emily, daí a dificuldade em se relacionar com ela. Infelizmente, a crença e a expectativa que tinha faziam com que as coisas acontecessem exatamente como ela imaginava.

Durante o período da nossa terapia, Emily passou a conhecer o seu princípio organizador inconsciente. No momento em que ela tomou consciência dele, deixou de experimentá-lo da mesma maneira. Embora ainda achasse difícil expressar seus sentimentos, ela não pressupunha mais automaticamente que eles fossem um fardo para os outros. Essa mudança na perspectiva de Emily possibilitou que ela se tornasse muito mais aberta e eficaz nos seus relacionamentos.

Quase todas as pessoas ficaram interessadas na transformação de Emily, exceto sua mãe. A capacidade de abrir-se e expressar seus sentimentos tornou ainda mais problemático o relacionamento das duas. À medida que começou a falar a respeito de como se sentia, até mesmo das coisas que a perturbavam, as discussões com a mãe chegaram ao auge. Emily agora tinha opiniões.

– É isso que você está aprendendo na terapia? A botar a culpa de tudo em mim? – dizia a mãe.

– Será que eu não posso discordar sem que você se sinta atacada? – retrucava Emily. Essas discussões raramente tinham uma conclusão satisfatória para qualquer das duas.

Embora Emily sempre tivesse se sentido pouco à vontade perto da mãe, ela agora tinha mais consciência das razões deste fato. A mãe de Emily continuava agindo como se os sentimentos da filha fossem um fardo para ela. Emily precisava que sua mãe entendesse o que estava acontecendo para que as coisas pudessem se modificar, mas a mãe não percebia que alguma coisa precisava mudar. Quanto mais Emily se esforçava para fazê-la compreender a necessidade da mudança, mais ela ficava zangada com a filha.

Agora que mudou, as coisas jamais poderão voltar a ser como antes com a sua mãe. Emily não está desistindo do relacionamento com a mãe; ela está simplesmente insistindo para que elas tenham uma relação melhor do que a anterior. A mudança está acontecendo muito devagar, mas Emily acha que tanto ela quanto a mãe a merecem.

Jesus ensinou que depois que se envolvem em um relacionamento com Deus as pessoas nunca mais conseguem olhar para o mundo da mesma maneira. Às vezes o crescimento espiritual significa uma mudança radical na nossa perspectiva e tem conseqüências nos relacionamentos.

Às vezes nossos amigos e nossa família ficam felizes ao nos verem crescer e mudar; às vezes, não. Quando as pessoas à nossa volta não se alegram ao nos verem diferentes, temos que seguir em frente, desejando que um dia elas percebam o valor de nossa transformação.

PRINCÍPIO ESPIRITUAL: A mudança nem sempre é um hóspede bem-vindo.

CRESCIMENTO É TRABALHO

"Tome a sua cruz e siga-me de perto."
Marcos 8:34 (*Living Bible*)

O processo do crescimento não apaga os nossos princípios organizadores. Nós nos lembramos do passado, mesmo que escolhamos nos libertar dele. Pode ser que em determinadas circunstâncias nos sintamos tentados a reagir da maneira antiga. Não podemos transformar imediatamente nossos antigos princípios organizadores em novos, mas podemos aprender a nos apoiar em outros até que os antigos se tornem uma memória distante. Jesus ensinou que o crescimento envolve um árduo trabalho. Precisamos estar preparados para assumir a nossa parte de responsabilidade se quisermos colher a recompensa.

Megan voltou a fazer terapia porque percebeu que repetidamente saía com homens carentes que esperavam que ela assumisse o comando da situação, o que Megan acabava fazendo. Como já tinha feito terapia, ela sabia que essa característica sua era resultado do seu relacionamento com o pai, uma pessoa seriamente deprimida. Como era a filha predileta, Megan sempre se sentira responsável pela felicidade do pai e nunca se permitira ficar de mau humor na esperança de animá-lo.

– Quero mudar – ela me disse. – Estou farta de homens carentes e perdedores. Quero me livrar de toda a bagagem do passado e seguir em frente. Onde estão os caras legais?

Senti-me como se ela estivesse me convocando para assumir o comando da situação e respondi:

– Você não pode mudar, mas pode crescer.

Megan não gostou de ouvir isso e foram necessários vários meses para que ela compreendesse o significado da minha afirmação. A verdade é que os princípios organizadores inconscientes que Megan estruturou na infância são uma parte permanente do seu inconsciente terreno. Nenhum de nós é capaz de mudar isso. Ela provavelmente vai continuar a ter um movimento semelhante sempre que conhecer um homem que a faça lembrar-se de alguma maneira do pai. Mas o que efetivamente podemos mudar é a *reação* de Megan ao seu passado. Agora que está consciente de que se sentia responsável por cuidar do pai deprimido, ela não precisa continuar a agir como se isso ainda fosse verdade. Todas as vezes em que se sentir tentada a "cuidar" de outro homem carente, pode perguntar a si mesma se está respondendo às necessidades do homem que está na sua vida *agora* ou à daquele que *estava* na sua vida há muitos anos. Ela é capaz de começar a perceber que pode se ligar ao homem da sua vida sem ter que "cuidar" dele. Responsabilidade significa "capacidade de responder", e agir automaticamente a partir de princípios inconscientes do passado elimina essa capacidade e a substitui pela obrigação de ter sempre a mesma reação.

Quando Megan disse "Quero mudar", ela estava na verdade dizendo: "Não consigo mais suportar o que estou sentindo e quero que todos os maus sentimentos desapareçam." Crescer envolve avançar em direção aos bons sentimentos e não tentar escapar dos maus. Não podemos apagar os princípios organizadores de Megan, mas podemos ajudá-la a reconhecê-los, a lidar com eles e desenvolver outros. Megan pode aprender que as carências dos homens com quem se relaciona hoje são *oportunidades* de crescimento para ela e não *exigências* que precisa satisfazer. Embora isso signifique que Megan ainda precisa estar consciente de como se sacrificou por causa da depressão do pai, ela está mais capaz de superar o efeito que esse distúrbio exerceu sobre seu comportamento.

Jesus falou sobre o processo de transformação espiritual como uma tarefa que precisamos abraçar repetidamente todos os dias. Ele convidava as pessoas para "tomarem a cruz" porque sabia que se tratava de um processo trabalhoso. Ele não oferecia às pessoas uma mudança instantânea. A vida melhor era para ele a própria decisão de percorrer o caminho difícil para segui-lo de perto. Esta escolha é o constante crescimento.

PRINCÍPIO ESPIRITUAL: As mudanças rápidas são freqüentemente temporárias, mas o crescimento lento transforma profundamente.

CAPÍTULO 4

Entendendo o pecado e a psicopatologia

"Um certo homem tinha dois filhos e o mais moço deles disse ao pai: 'Pai, dá-me a parte dos bens que me pertence.' ... E, poucos dias depois, o filho mais novo, ajuntando tudo, partiu para uma terra longínqua, e ali dissipou os seus bens, vivendo dissolutamente. ... Caindo em si, disse: 'Vou partir em busca do meu pai e lhe direi: – Pai, pequei contra o céu e contra ti.'
Mas quando ainda estava longe o pai o viu e, comovido, lhe correu ao encontro, lançou-se-lhe ao pescoço e o beijou. ... O pai disse aos seus criados: 'Rápido! ... Alegremo-nos e celebremos, porque este meu filho estava morto e reviveu, tinha-se perdido e foi encontrado.'"

Lucas 15:11-24

Na parábola do filho pródigo, Jesus nos diz que a principal causa do pecado é o egoísmo. A parábola trata da solução do pecado no mundo. Jesus estava estabelecendo que o pecado é o egocentrismo que resulta em um relacionamento rompido, e a salvação é o momento em que esse relacionamento é renovado. O filho pródigo partiu deixando o pai e acabou sozinho e perdido. Quando o acolhe na volta, o pai não menciona a vida desregrada que depauperou a herança do filho, nem mesmo considera que o comportamento dele mereça punição. Ele se alegra porque o relacionamento foi restabelecido.[1]

O egocentrismo situa-se no âmago dos problemas espirituais e psicológicos, porque tanto o pecado quanto a psicopatologia resultam da autopreservação a qualquer custo. Este capítulo mostra como o pecado e a psicopatologia são causados por relacionamentos rompidos, e como a salvação e a saúde psicológica acontecem quando os relacionamentos são reconstruídos.[2]

A PATOLOGIA DO EGOÍSMO

"Quem agarrar-se à própria vida a perderá."
Mateus 10:39 (*Living Bible*)

Dora deixou de acreditar nas pessoas há muito tempo. Seus pais a desapontaram, seus amigos a decepcionaram e ela achou que Deus tampouco a ajudou. Dora passou a acreditar que quando queremos que uma coisa seja feita temos que fazê-la sozinhos.

Dora encara as outras pessoas como adversários. É como se ela estivesse competindo com todo mundo por causa de tudo, sempre querendo ter certeza de que não será enganada. O problema é que, mesmo quando consegue evitar que os outros a enganem, ela ainda se sente lograda. Quando não temos com quem compartilhar as coisas, a satisfação de conseguir o que queremos não dura muito tempo.

Dora construiu um muro de defesas para garantir que ninguém conseguirá se aproveitar dela. O que não percebe é que, além de impedir que os outros entrem, esse muro a mantém presa do lado de dentro. A verdade é que Dora se ressente de estar sozinha. Ao tentar evitar ser vítima dos outros, ela criou o próprio inferno. Procura se proteger desconfiando dos outros, quer curar suas feridas permanecendo isolada. Dora tem poucos amigos porque sua atitude é muito defensiva diante das pessoas, e sua vida não parece ter significado porque ela não acredita em nada maior do que ela mesma.

Dora age como se estivesse absolutamente certa do que quer, e é em geral inútil discutir com ela a respeito disso. Mas sua fachada confiante e segura serve apenas para ocultar seu sofrimento. Dora está tão ocupada em se defender que não sobra energia para construir coisas melhores para a sua vida. O que ela não percebe é que manter os outros à distância lhe dá uma falsa segurança, mas a impede de obter o que precisa para se sentir completa. Tanto do ponto de vista psicológico quanto do espiritual, Dora extraviou-se e, sem a ajuda de outras pessoas, será incapaz de encontrar o que realmente precisa.

O ponto inicial tanto da salvação quanto da saúde psicológica é reconhecer que precisamos dos outros. Do ponto de vista espiritual, necessitamos de um relacionamento com Deus para sermos completos. De um ângulo psicológico, nossa saúde mental depende da nossa capacidade de nos relacionarmos bem com os outros. Se encararmos as outras pessoas como adversários dos quais precisamos nos proteger, nos tornamos defensivos e corremos o risco de prejudicar exatamente aquilo que estamos tão arduamente tentando proteger.

Jesus ensinou que os seres humanos são seres essencialmente de relação. Ele freqüentemente mencionava a importância da nossa relação com Deus e com os outros. Para Jesus, a saúde espiritual acontece quando os relacionamentos estão intactos, e o pecado, quando eles estão rompidos.

Quando temos medo de que as nossas necessidades não serão satisfeitas, nos envolvemos em atos impulsivos de autopreservação ou em mecanismos de defesa para nos proteger. Esses mecanismos infelizmente tornam-se psicopatologia que nos separa não apenas das outras pessoas como também do nosso verdadeiro eu. Jesus declarou que os seres humanos não podem existir como ilhas; os psicólogos afirmam que não podemos ser completos sem nos relacionarmos com os outros. Tanto o pecado quanto a psicopatologia resultam de atos desesperados de autopreservação que colocam o egoísmo no cerne dos nossos problemas espirituais e psicológicos.

PRINCÍPIO ESPIRITUAL: O egoísmo é pecado e psicopatologia.

A SAÚDE E A SALVAÇÃO SÃO MOVIMENTOS EM DIREÇÃO AOS OUTROS

"Assim como ouves o vento mas não sabes de onde ele vem, o mesmo acontece com o Espírito."
João 3:8 (*Living Bible*)

Assisti certa vez a uma palestra apresentada por um antropólogo que mostrou por que determinadas culturas no mundo não conseguiam entender as descrições do cristianismo feitas pelos missionários americanos. Explicou que nos Estados Unidos pensamos em função de conjuntos fechados e limitados. Representou o que queria dizer através de uma série de círculos no quadro, para demonstrar como achamos que as pessoas pertencem a certos grupos e não a outros. Os cristãos estão dentro de um círculo e os não-cristãos do lado de fora. Achamos que se entrarmos no círculo do cristianismo estaremos salvos. Se não entrarmos, seremos condenados.

Sempre acreditei que a terapia fosse um processo de movimento espiritual. A presença de Deus não é mencionada na terapia, mas isso não impede que Deus crie movimento em nossa vida. Eu creio nisso. Quando meus pacientes percebem uma ausência desse movimento na terapia, ou seja, quando não sentem que as coisas estão progredindo, eles se consideram "empacados". Depois, quando as coisas começam a fazer sentido e eles acham que a terapia está funcionando, fazem observações como: "Agora estamos indo para algum lugar." Embora, na sua maioria, os pacientes não tenham uma idéia clara de para onde querem ir, eles desejam chegar a algum lugar o mais rápido possível.

Derek era um homem muito motivado quando iniciou a terapia. Estava genuinamente interessado em melhorar. Percebi logo que ele imaginava os seres humanos separados em círculos. Havia o círculo dos mentalmente saudáveis e o dos emocionalmente doentes, onde ele se via. Queria que eu lhe dissesse o que estava fazendo de errado para corrigir seu comportamento e poder entrar no círculo dos saudáveis. Estava menos interessado em *se conhecer* e tomar consciência de seus mecanismos inconscientes do que em receber conselhos sobre como *proceder*.

Como todos nós, Derek é um produto da sua cultura. Ao começar a terapia, perguntou: "Quanto tempo você acha que isso vai levar?" Quando as pessoas me perguntam isso, sinto que vou ter dificuldades. Normalmente respondo com a metáfora da academia. Quando paramos de nos exercitar? Todo mundo parece entender a necessidade de fazer atividades para manter a forma. O exercício emocional é na verdade a mesma coisa. A meta não é terminar, mas fortalecer-se com um treinador que é o psicoterapeuta. A necessidade de nos exercitarmos física ou emocionalmente nunca acaba, mas em algum ponto quase todos nós deixamos de precisar que o treinador permaneça ao nosso lado o tempo todo.

Derek parou de se sentir empacado na terapia e na sua vida quando deixou de encarar a saúde mental como algo a ser conquistado para integrar o círculo dos saudáveis. Ele começou a se sentir melhor quando passou a ver a saúde mental como um modo de se aproximar dos outros. Está mais interessado na maneira como se relaciona com aqueles que já fazem parte da sua vida. Agora Derek raramente me pergunta o que acho que ele deve fazer, porque não acredita mais que haja uma resposta certa para essa pergunta.

Jesus ensinava que o pecado é qualquer coisa que nos separe de Deus e dos outros. Esta é a mensagem que ele queria transmitir na parábola do filho pródigo. Se estamos avançando em direção a Deus e aos outros, estamos nos movendo em uma direção espiritual. Se nos afastamos, estamos nos movendo ao contrário. É por este motivo que o pai na parábola quis dar uma festa apenas por ver o filho fazendo um movimento em sua direção.

Uma das verdades espirituais da psicoterapia é que a meta não é chegar, mas fazer um movimento. O sucesso na terapia não consiste em alcançar o interior do círculo da saúde mental; consiste na capacidade de fazer um movimento em direção às outras pessoas. Os pacientes que compreendem isso aproveitam melhor a terapia e conseguem entender por que o pai do filho pródigo deu uma festa para comemorar o movimento de volta.

PRINCÍPIO ESPIRITUAL: Pecado é afastar-se de Deus e dos outros.

O PAPEL DO ARREPENDIMENTO NA TERAPIA

"Arrependei-vos e acreditai nas boas novas!"
Marcos 1:15

O Dr. Smith veio fazer terapia por causa de um ultimato da esposa. Ele era um cirurgião bem-sucedido, mas um fracasso como marido. Sua mulher vivia se queixando dele e via a terapia como uma oportunidade de mudar as coisas. Ele me procurou porque se sentia mal em seu relacionamento com ela e não sabia mais o que fazer.

Os cirurgiões precisam ser muito precisos no seu trabalho. O Dr. Smith era enérgico com sua equipe de enfermagem por uma ótima razão: as pessoas podiam morrer se eles cometessem erros. Infelizmente, a mesma precisão e nível de exigência que faziam dele um profissional de sucesso estavam prejudicando o seu casamento. O Dr. Smith sentia-se mal porque a mulher era infeliz no casamento, mas considerava as queixas dela ilógicas e não acreditava que fossem causadas pelo relacionamento dos dois. Ele era fiel, proporcionava uma vida confortável à família e estava sempre atento às necessidades dos filhos. Considerava-se uma pessoa aberta para mudar de opinião a respeito de qualquer coisa que estivesse aborrecendo a mulher, desde que ela conseguisse lhe mostrar onde o pensamento dele estava errado.

A verdadeira terapia do Dr. Smith só começou muito tempo depois da nossa primeira sessão, quando já fazia vários meses que vinha regularmente ao meu consultório. Durante uma determinada sessão, quando discutíamos as queixas que a mulher tinha dele, o Dr. Smith explodiu, frustrado, dizendo o seguinte:

– Por que ela não me deixa em paz? Será que terei que passar o resto da minha vida com alguém pegando no meu pé?

– Não sei – respondi. – Você sempre teve alguém na vida pegando no seu pé?

– Sempre – ele respondeu sem graça. – Nada que eu fazia era bastante bom para o meu pai, e agora eu tenho que agüentar a mesma droga da parte da minha mulher. Por que todo mundo acha que eu tenho que ser perfeito?

De repente o Dr. Smith compreendeu. Trabalhar com rigor e precisão fazia dele um melhor cirurgião na clínica, mas em casa ele precisava agir de modo diferente. Na verdade, ele não estava investindo na felicidade de seu casamento; estava apenas tentando evitar que lhe "pegassem no pé". Estava usando a mesma estratégia que aprendera quando criança para evitar as críticas do pai. O Dr. Smith começou a se perguntar se alguma vez fazia algo porque efetivamente *queria* fazê-lo. Talvez tudo o que fizesse fosse apenas para evitar que os outros o censurassem, ficassem desapontados, ou até mesmo morressem. Ele não estava procurando a felicidade; estava constantemente evitando o oposto dela – uma tarefa interminável.

O Dr. Smith decidiu que não queria continuar a viver baseado na máxima "Quero fazer tudo para evitar a crítica dos outros". Ele precisava de um novo lema. Queria fazer as coisas por realmente desejar fazê-las. No entanto, para saber o que queremos, precisamos saber o que sentimos. O Dr. Smith passou a ter um novo motivo para fazer terapia. Ele não vinha mais às sessões para descobrir como evitar que a mulher fosse infeliz com ele e sim para tentar compreender como *ele* mesmo poderia ser feliz. Parou de tentar modificar a mulher e começou a investir na própria mudança. Este é o papel do arrependimento na terapia.

Curiosamente, a mulher do Dr. Smith já não se queixa tanto dele. Quanto mais ele toma contato com seus próprios sentimentos, mais fala a respeito deles com a mulher, o que cria intimidade entre o casal. Na verdade, o que ela mais queria era saber como ele se sentia a respeito da vida dos dois.

Quase todas as pessoas acham que arrepender-se significa sentir-se mal quando procedem errado. O arrependimento para elas é uma autopunição ou um sentimento de culpa que merecemos por fazer o que não deveríamos ter feito. Jesus não via o arrependimento dessa maneira. Embora o filho indisciplinado na parábola do filho pródigo sinta-se mal e insista em afirmar que pecou contra o pai, Jesus mostra que o pai não se prende a esses sentimentos de culpa e alegra-se apenas por uma coisa: o filho mudou de idéia e voltou para casa. De acordo com Jesus, o ato de arrependimento do filho não aconteceu quando ele implorou o perdão do pai e sim quando decidiu mudar de vida e voltar para casa. O que fez diferença foi o fato de ele ter mudado de idéia e de atitude.

A palavra grega para "arrependimento" na Bíblia é *metanoia,* que significa "mudar de idéia". É estar percorrendo um caminho em uma direção e decidir inverter o rumo e seguir por um caminho totalmente novo. Jesus falava sobre o arrependimento neste sentido. Ele não queria fazer as pessoas se sentirem mal a respeito de si mesmas; ele queria ajudá-las a mudar. É a mesma coisa que os terapeutas procuram fazer quando os pacientes os procuram.

O arrependimento desempenha o mesmo papel na psicoterapia. É preciso perceber a necessidade de mudar para que a terapia funcione. Para crescer tanto espiritual quanto psicologicamente temos de modificar a nossa maneira de pensar e de agir.

PRINCÍPIO ESPIRITUAL: As pessoas sábias estão sempre preparadas para mudar de idéia e de atitude; as tolas, jamais.

A VERDADEIRA CULPA VERSUS A FALSA CULPA

"Ele conscientizará o mundo do pecado..."
João 16:8

Muitas pessoas acham que o consultório de um psicoterapeuta é o lugar aonde podem ir para atenuar sua culpa. Elas acreditam que a culpa é neurótica e que os terapeutas são especialmente treinados para ajudá-las a livrar-se dela.

Chip vinha para as sessões com o mesmo entusiasmo e carisma que dedicava a todas as áreas da sua vida. Era eloqüente, motivado e bem-sucedido em tudo o que fazia. Embora Chip me garantisse que amava a mulher, ele me confessou que tivera um caso extraconjugal. A mulher ficou furiosa quando descobriu e insistiu para que ele fosse fazer terapia para tentar se compreender. Chip estava genuinamente perturbado com a possibilidade do seu casamento fracassar. Ele detestava o fracasso.

Embora Chip tivesse deixado bem claro tanto para mim quanto para a mulher que estava se sentindo muito mal com o que fizera e que desejava que o seu casamento desse certo, tive dificuldade em ajudá-lo. Eu não compreendia bem a razão de seu mal-estar. Finalmente descobri que Chip de fato estava se sentindo culpado não com relação ao que havia feito, mas por ter sido apanhado. O tipo de culpa que Chip sentia não se baseava no remorso que experimentamos quando magoamos alguém que amamos, mas no medo das conseqüências por ter cometido um erro e estragado as coisas. Na verdade, o que Chip estava sentindo era uma falsa culpa.

É difícil tratar a falsa culpa na psicoterapia, porque as coisas não são como parecem ser. Chip não conseguia admitir para si mesmo o verdadeiro motivo da sua culpa. Se conseguisse, ele admitiria que não acreditava que os homens fossem capazes de ser monogâmicos e que "pular a cerca" de vez em quando era admissível. Mas não podia aceitar essas idéias porque sabia o que a mulher pensaria a respeito delas e tinha medo das conseqüências.

Chip deixou a terapia alguns meses depois, sentindo-se muito melhor. Informou a mim e à mulher que aprendera muitas coisas a respeito de si mesmo. Mas no fundo Chip nunca concordou comigo sobre a razão dos seus sentimentos de culpa. Ele costumava me dizer: "Não é ficar sentindo-se mal a respeito do passado. É aproveitar ao máximo o que se tem hoje. Minha mulher simplesmente vai ter que superar o problema e voltar a confiar em mim."

Parece que Chip conseguiu evitar o divórcio, mas duvido que a mulher dele tenha voltado a sentir-se segura no casamento. Embora as coisas tenham parecido melhorar, tanto Chip quanto a mulher continuaram a viver com a sensação de que algo não estava bem resolvido.

Embora Jesus tenha dito que não veio ao mundo para condenar (Jo 3:17), ele acreditava que há momentos em que devemos nos sentir culpados. A partir da perspectiva dele, nem toda culpa é má.[3]

Jesus acreditava em dois tipos de culpa. O que os psicólogos chamam de verdadeira culpa, ele chamava de culpa baseada no amor. O que chamamos de falsa culpa, segundo ele, era a culpa fundamentada no medo. A verdadeira culpa é o remorso que sentimos quando magoamos aqueles que amamos; ela nos faz ter vontade de corrigir as coisas no nosso relacionamento com os outros. A falsa culpa é o medo da punição que está mais ligada à necessidade de nos protegermos depois que fazemos algo errado.

A falsa culpa raramente beneficia o nosso relacionamento com os outros. Na verdade, ela em geral nos prejudica e nos torna pessoas de convivência mais difícil. Sentimos a verdadeira culpa quando nossos relacionamentos são importantes para nós e nos sentimos motivados a curar as feridas provocadas por nosso comportamento. É esse o tipo de culpa que Jesus queria que sentíssemos.

PRINCÍPIO ESPIRITUAL: A culpa motivada pelo amor cura a mágoa; a culpa baseada no medo só faz escondê-la.

SE AS PESSOAS FOSSEM PERFEITAS, POR ACASO ALGUÉM PECARIA?

"Sede perfeitos, portanto, como o Pai celeste é perfeito."
Mateus 5:48

Melissa tira notas excelentes na escola, seus professores a adoram e ela é superorganizada. Todo mundo tem a impressão de que Melissa é a criança perfeita.

Mas as aparências superficiais podem ser enganadoras. Melissa é muito autoritária e intolerante com seus colegas. As outras crianças a chamam de mandona. Na verdade, Melissa prefere a companhia dos adultos. Ela é sempre elogiada por causa da sua inteligência e equilíbrio. O que a maioria das pessoas não percebe é que o fato de Melissa parecer precoce para a sua idade é na verdade uma necessidade de exercer o controle e ser aceita, o que encobre problemas mais profundos. Melissa não é a criança perfeita porque *gosta* de ser assim; ela é perfeccionista porque *precisa* ser desse jeito.

Várias crianças com problemas de auto-estima passam pelo sistema educacional sem serem notadas, porque nunca causam problemas. As crianças barulhentas e indisciplinadas é que são identificadas como problemáticas, ao passo que as excessivamente perfeccionistas sentam-se em silêncio nas carteiras e passam despercebidas. No entanto, a inflexibilidade pode ser indício de baixa auto-estima tanto quanto o comportamento rebelde que visa chamar a atenção. O perfeccionismo é apenas uma maneira socialmente mais aceitável de lidar com a baixa valorização.

Parecer perfeito nunca foi sinal de saúde mental. Bem ao contrário. Ter a coragem de ser imperfeito indica muito mais uma auto-estima saudável do que fingir ser impecável. As crianças como Melissa às vezes se esforçam intensamente para serem especiais porque têm medo de não serem amadas se não fizerem isso. Se as crianças não se sentem amadas pelo que *são*, elas aceitam a atenção que recebem pelo que se esforçam para fazer. A questão não é saber se o comportamento delas é ou não perfeito e sim a motivação que as leva a ter esse comportamento.

Ocasionalmente deparo com versículos na Bíblia que me deixam perturbado. Um deles é este: "*Sede perfeitos, portanto, como o Pai celeste é perfeito.*" Esta frase dá a impressão de que Jesus estava estabelecendo para os seus seguidores um padrão ridiculamente alto que, se não fosse alcançado, poderia fazer com que eles se sentissem maus e inadequados. No decorrer dos séculos muitas pessoas confundiram o perfeccionismo moral com a retidão espiritual e definiram a espiritualidade em função do número de coisas das quais se abstinham, como fumar, beber e praguejar. Mas às vezes são exatamente as pessoas que se empenham em parecer perfeitas as mais culpadas de pecado.

A palavra grega traduzida como "perfeito" nessa passagem também pode ser traduzida por "maduro". Quando soube disso, eu me senti muito melhor. Sei que jamais serei perfeito, mas acredito que posso continuar a crescer. Ter maturidade significa reconhecer que vamos continuar a pecar, mas seremos capazes de rever nossas ações e corrigi-las. Fingir ser impecável é na verdade um sinal de imaturidade. Jesus não definiu a maturidade espiritual como a ausência de imperfeições e sim como presença da força.

Eis como interpreto os ensinamentos de Jesus: não nos sentimos mais amados porque somos perfeitos; desejamos ficar mais maduros porque nos sentimos amados.

PRINCÍPIO ESPIRITUAL: O perfeccionismo é uma máscara e não uma meta.

O PECADO É UM PROBLEMA PESSOAL

"Se o teu irmão pecar contra ti, repreende-o, e se ele se arrepender, perdoa-o."
Lucas 17:3

Jesus dizia que pecar significava cometer um erro.[4] Mas ele estava mais interessado nos relacionamentos destruídos por causa dessas falhas do que nos erros propriamente ditos. Por isso ele perdoava as pessoas com facilidade. Para ele, o relacionamento, e não o erro, era o problema principal.

Laila e Kerry eram amigas e trocavam confidências a respeito da sua vida pessoal. Laila achava óbvio que as confidências ficassem entre as duas, por isso ficou indignada quando soube que Kerry tinha contado a uma amiga comum os detalhes de uma experiência que ela lhe confiara. A intenção não fora de trair a amiga, mas Laila concluiu que não podia mais confiar em Kerry e passou a falar mal dela, como se estivesse tentando pagar na mesma moeda.

A relação entre as duas ficou insustentável. Por mais que os outros amigos tentassem reaproximá-las, foi em vão. Ninguém na verdade sabia por que elas se detestavam tanto, mas estava claro que esta era a realidade. Laila e Kerry continuaram a alimentar a desavença porque estavam fazendo a pergunta errada. A questão não era "Quem começou a briga?" e sim "Quem está fazendo com que a briga continue?".

Kerry tinha cometido um erro. Laila tinha o direito de estar magoada e zangada. Mas para Jesus a questão ligada ao pecado não é o que foi feito no passado, mas as providências que podem ser tomadas hoje para resolver o problema. Laila e Kerry mantiveram o pecado ativo porque ambas estavam mais preocupadas em se proteger do que em corrigir o ressentimento existente entre elas.

"É inevitável que haja escândalos", disse Jesus, "portanto, tende cuidado" (Lucas 17:1-3). A seguir, ele prossegue: "Se o teu irmão pecar contra ti, repreende-o, e se ele se arrepender, perdoa-o." Ele estava primordialmente interessado em restaurar os relacionamentos pessoais. Jesus freqüentemente adotava a perspectiva psicológica de não encarar o pecado como um problema que existe *dentro* das pessoas e sim *entre* as pessoas.

PRINCÍPIO ESPIRITUAL: Às vezes o pecado é um problema que existe entre as pessoas e não dentro delas.

A SALVAÇÃO E A PSICOTERAPIA

"Porque este filho estava morto e voltou à vida, estava perdido e foi encontrado."
Lucas 15:24

– Acho que meu radar está quebrado – declarou Sarah na nossa primeira sessão.

– Radar? – perguntei.

– Isso mesmo, é como eu chamo o mecanismo que me faz escolher os homens. Você pode dar um jeito nisso? – perguntou ela.

Sarah queria se entender, o que me deixou contente, pois esta atitude favorece os resultados da terapia. Mas não era positivo ela achar que tinha algum tipo de defeito. Descobri que o fato de uma pessoa estar *convicta* de que tem um defeito é mais pernicioso do que a deficiência que possa vir a ser descoberta.

À medida que a nossa terapia progredia, fiquei sabendo que os pais de Sarah tinham se divorciado quando ela estava na escola primária, e que a sua mãe precisou arranjar um emprego para poder sustentar as filhas. Sarah buscara nos colegas de escola a atenção de que necessitava, pois seus pais não estavam mais disponíveis para isso.

Quando Sarah chegou ao segundo grau, o seu relacionamento com os meninos havia se tornado predominantemente sexual, e este era o preço que ela pagava para ter a sensação de estar próxima de alguém. Sarah passou a acreditar que a única maneira de obter o que queria era dar em troca o que os outros queriam. Esse tipo de amor condicional fez com que Sarah sentisse que era capaz de conseguir *atenção* pelo que *fazia*, mas não saber se poderia obter *amor* por ser quem *era*.

Percebi que durante um certo tempo Sarah imaginou que iríamos ter um relacionamento sexual. Depois, ela passou a achar que eu só a estava atendendo por causa do dinheiro que ela me pagava, mas que secretamente eu a considerava repulsiva devido às suas atividades sexuais do passado. No entanto, depois de passar muitas horas descrevendo coisas horríveis sobre si mesma e revelando-me os aspectos mais negativos e inaceitáveis da sua vida, Sarah começou a achar que talvez fosse possível que uma outra pessoa, mais especificamente um homem, se interessasse por ela por outra razão além do que pudesse obter em troca. Sarah estava redescobrindo o seu verdadeiro eu, a parte dela que desejava ter um relacionamento com outra pessoa pelo que *era* e não pelo que *fazia*.

As coisas que Sarah tinha feito para conseguir amor não eram prova de um defeito de personalidade; eram tentativas de encontrar o amor perdido. Sarah não compreendia como sua história explicava seu modo de ser. A sua promiscuidade sexual era apenas um resultado lamentável de uma necessidade insatisfeita. Quando Sarah descobriu a menina que continuava intacta dentro dela, ansiando pelo amor do pai, sua vida começou a fazer mais sentido. Ela não era defeituosa; apenas não se sentia amada. Aos poucos Sarah foi entrando em contato com quem verdadeiramente era.

Sarah não precisa continuar a agir como se houvesse algo errado com ela. O problema não era com ela e sim com o que ela precisara e não recebera. Sarah está começando a acreditar que tem algo valioso a oferecer. Não é de causar surpresa que ela também esteja atraindo um tipo de homem diferente.

Jesus ensinou que o pecado acontece quando quebramos o relacionamento e que a salvação ocorre quando o restabelecemos. Na parábola do filho pródigo, Jesus mostrava que a salvação envolve o reencontro com o nosso verdadeiro eu.

A psicoterapia funciona porque segue o padrão que Jesus descreve para o processo da salvação. Os bons relacionamentos nos curam. Não podemos ser psicologicamente saudáveis se não nos relacionarmos de um modo saudável com nós mesmos e com os outros. Os seres humanos foram criados desta maneira, ou seja, precisamos estar ligados aos outros para sermos completos.

A psicoterapia é o processo de ajudar pessoas que estão perdidas a se reencontrarem. Ao estabelecer relacionamentos saudáveis com os outros, podemos reconduzi-los ao caminho da saúde psicológica.

PRINCÍPIO ESPIRITUAL: Uma alma perdida é encontrada e não consertada.

CAPÍTULO 5

Entendendo a religião

Certa ocasião, andava Jesus pelos campos de trigo em um dia de Sabá. Com fome, seus discípulos começaram a arrancar espigas e a comê-las. Vendo isso, os fariseus lhe disseram: "Olha! Teus discípulos fazem o que não é permitido fazer no Sabá."

Ele, porém, lhes disse: "Não lestes o que fez Davi quando teve fome, ele e os que o acompanhavam? Como entrou na casa de Deus e comeu os pães sagrados? Ora, nem a ele, nem aos que estavam com ele era permitido comer os pães reservados apenas aos sacerdotes. Ou não lestes na Lei que, no Sabá, os sacerdotes em serviço no Templo violam o Sabá sem se fazerem culpados? Pois eu vos digo: quem está aqui é maior do que o Templo. Se compreendêsseis o que significa: quero misericórdia e não sacrifícios, não condenaríeis os inocentes. Porque o Filho do Homem é Senhor do Sabá."

Mateus 12:1-8

Jesus acreditava que a religião tinha sido feita para as pessoas, e não as pessoas para a religião. Embora tivesse violado a lei judaica ao fazer o que fez no dia santo do Sabá, Jesus o fez assim mesmo. Jesus disse coisas como: "É lícito fazer o bem ou o mal no Sabá? Salvar uma vida ou matar?" (Marcos 3:4). Freqüentemente ele enfrentava aqueles cuja maneira de pensar se tornara rígida e que haviam perdido de vista o objetivo da religião.

À medida que amadurecemos, começamos a perceber que as regras existem como diretrizes para facilitar o relacionamento entre as pessoas. Jesus colocou a prática espiritual da misericórdia acima da do sacrifício, o que se assemelha bastante ao que os psicólogos dizem a respeito da evolução moral.[1] A misericórdia sempre leva em conta a outra pessoa; o sacrifício pode às vezes ser apenas para nós mesmos.

RITUAIS RELIGIOSOS

"Fazei isto para vos lembrardes de mim."
I Coríntios 11:24

Katherine e Brandon procuraram o aconselhamento conjugal para melhorar o casamento. Eles sabiam que se amavam e tinham orgulho da maneira como os filhos estavam crescendo, mas achavam que as coisas poderiam ser melhores entre eles.

Katherine vinha de uma família que costumava se expressar emocionalmente e estava acostumada a demonstrações de afeto e de raiva. A família de Brandon era muito mais reservada. Para ele, o que falamos tem pouco valor; o que conta são as nossas ações. Katherine freqüentemente tentava fazer com que Brandon expressasse seus sentimentos para que ela pudesse sentir-se amada. Brandon, porém, achava que a melhor forma de demonstrar amor era através de seus atos.

– Às vezes eu preciso saber como você se sente – insistia Katherine.

– Eu me casei com você, não casei? – Brandon respondia. – Por que você acha que fiz isso?

Durante a terapia, descobrimos um ritual interessante para ajudar o casamento de Katherine e Brandon. Se ele queria demonstrar seus sentimentos através das ações, precisava agir de uma maneira que tivesse significado para Katherine. Ele sabia quando ela estava triste, mas com freqüência não tinha a menor idéia do que fazer para ajudá-la.

Conversando, descobrimos o ritual do abraço carinhoso. O abraço não tinha a intenção de transmitir um desejo sexual ou evitar uma conversa; o objetivo era simplesmente enviar para Katherine a mensagem de que Brandon a amava.

Depois de um tempo, Katherine e Brandon disseram que o abraço carinhoso se tornara um importante ritual capaz de ajudá-los a atravessar momentos difíceis. Às vezes eles não sabiam como exprimir por meio de palavras o que estavam sentindo, e era nessas ocasiões que o abraço conseguia expressar a ligação significativa que ambos desejavam. Assim como a intenção de Jesus era que os rituais fossem usados para que nos lembrássemos de Deus, nós também podemos utilizá-los para manter vivo na mente o amor que sentimos uns pelos outros.

O ritual é uma ação concreta que simboliza uma realidade espiritual. Jesus acreditava que os rituais religiosos eram positivos quando usados para nos lembrar que temos um relacionamento com Deus e com os outros, mesmo nos momentos em que isso é difícil. Temos tendência ao esquecimento e muitas vezes realizamos os rituais de forma puramente mecânica, esvaziando-os do conteúdo.

Jesus sabia que todos temos momentos em que precisamos de algo palpável que nos faça lembrar o valor dos nossos relacionamentos. Às vezes precisamos de demonstrações físicas de que o amor existe, e os rituais concretos podem exercer essa função. Os rituais religiosos podem ser positivos, desde que nos lembremos do seu objetivo.

PRINCÍPIO ESPIRITUAL: Os rituais nos ajudam a lembrar o amor.

AS COISAS FICAM MAIS CINZAS À MEDIDA QUE CRESCEMOS

"Com muitas parábolas como esta, Jesus anunciava-lhes a palavra segundo podiam entender."
Marcos 4:33

Os pais de Jonathan se divorciaram quando ele era pequeno, e o menino passou a ver o pai apenas nos fins de semana. Ele se lembra de ficar sentando do lado de fora, na casa da mãe, esperando que o pai viesse buscá-lo. Sempre sofria quando o pai se atrasava. A mãe dificultava as coisas ao fazer comentários como: "Bem, acho que o seu pai tem coisas mais importantes para fazer do que estar com o próprio filho." Jonathan detestava a sensação de sentir que não era importante para o pai. Na sua mente de criança, a equação era muito simples: "Se ele me amasse, estaria aqui na hora combinada."

Hoje em dia, Jonathan insiste em ser pontual. Ele faz o possível para não se atrasar e espera que as outras pessoas o respeitem da mesma maneira. Jonathan passou a acreditar que o atraso encerra um único significado na vida: de que a pessoa atrasada não tem consideração pela outra.

A exatidão de Jonathan com relação ao tempo estendeu-se para outras questões na sua vida. O fato de as pessoas serem precisas a respeito dos fatos, de sempre dizerem a verdade e manterem as promessas que fazem (por mais insignificantes que sejam) indica se elas o consideram importante ou não. Jonathan já rompeu amizades devido a incidentes que envolveram qualquer falha nessas áreas. Ele exige precisão dos seus amigos, porque esta é a única maneira que ele tem de saber se eles dão valor a ele.

Infelizmente, Jonathan não compreendeu que respeitar o tempo do outro, dizer a verdade e manter as promessas são apenas símbolos, e não a prova do quanto valorizamos as outras pessoas. Existem muitas razões pelas quais podemos deixar de ser precisos com o nosso tempo, palavras ou ações. Devido ao que sofreu na infância, porém, Jonathan é rígido nessas questões. Por isso perdeu vários relacionamentos e continua a ficar desnecessariamente magoado por interpretar a pontualidade como símbolo de desprezo e desrespeito. Jonathan coloca em atos concretos um significado que eles não têm necessariamente. A intenção de Jesus era que o simbolismo dos gestos e atitudes fosse uma coisa positiva, capaz de melhorar os relacionamentos, e não que pudesse ser usado para destruí-los.

Jesus acreditava que o simbolismo religioso era útil para pessoas de todos os níveis de educação e inteligência. Ele sempre falava por meio de parábolas para que as pessoas pudessem entender o significado dos seus ensinamentos. Fornecer às pessoas imagens concretas com as quais elas pudessem se identificar as ajudava a compreender princípios espirituais mais abstratos. Jesus era um exímio contador de histórias porque conhecia o poder do simbolismo na comunicação das idéias.

A pessoa espiritualizada está em constante desenvolvimento. Coisas que foram um dia vistas em "preto e branco" adquirem "nuanças de cinza" à medida que vamos crescendo. Jesus instituiu rituais religiosos para que nos lembrássemos dele e não porque os rituais tivessem a capacidade mágica de nos tornar poderosos. Algumas pessoas fazem os gestos e repetem as palavras dos rituais sem perceber o sentido que eles encerram. Seguir regras e executar rituais sem entender que eles se destinam a favorecer o relacionamento com Deus e com as outras pessoas é praticar uma religião vazia que não favorece o crescimento espiritual.

PRINCÍPIO ESPIRITUAL: Os rituais favorecem o amor;
eles não o substituem.

POR QUE FREUD ODIAVA O FUNDAMENTALISMO RELIGIOSO

"Eles estavam fatigados e desamparados, como ovelhas sem pastor."
Mateus 9:36

Dylan me procurou porque o seu casamento estava desmoronando. Era simpático e gostava de conversar, mas não entendia o que estava acontecendo. Ele se via como um sujeito divertido que simplesmente tinha se casado com uma mulher muito rígida com relação a várias coisas, especialmente ao seu hábito de beber. "Eu apenas fiz a escolha errada", era a sua explicação para os problemas do seu casamento.

Após várias sessões e muito incentivo e pesquisa da minha parte, Dylan e eu fizemos uma importante descoberta. Ao beber, ele não estava apenas procurando se divertir; ele se empenhava profundamente em não se sentir mal. O álcool era uma espécie de anestésico que ele usava para evitar, sempre que possível, os sentimentos dolorosos. Levou bastante tempo para Dylan concluir por si mesmo que era alcoólatra.

No decorrer do ano seguinte, Dylan transformou-se. Começou a freqüentar reuniões dos Alcoólicos Anônimos, parou de beber e tornou-se bastante religioso. Ele não se interessava por religião desde os poucos anos que passara na escola paroquial, mas algo tinha mudado para ele. Dylan conseguiu admitir que era impotente para tomar certas atitudes na vida, e que, assim como precisara da ajuda de outros, precisava da ajuda de Deus. Ele tornou-se capaz de falar sobre as suas inadequações, abrir-se para emoções que sempre desconhecera e confiar nas outras pessoas pela primeira vez na vida. O fato de Dylan compreender que estava desamparado e que precisava da ajuda de outros e de Deus modificou a sua vida. Ele sente que Deus literalmente salvou a sua vida e não tem vergonha de dizer que a religião fez dele um homem mais autêntico.

Freud odiava a religião. Não creio que seja necessário abordar aqui a criação religiosa de Freud e o que fez com que ele tivesse tanta raiva da religião. Para Freud, ela era uma ilusão que as pessoas usavam para defender-se do sentimento de que estavam desamparadas no mundo.[2] Segundo essa perspectiva, as pessoas vivem de forma superficial, escondendo-se atrás de rituais e regras religiosas, em vez de enfrentar significados e sentimentos mais profundos. Algumas pessoas de fato fazem isso, principalmente os fundamentalistas religiosos. Mas na vida de Dylan a religião estava tendo o efeito oposto do que Freud imaginaria.

Jesus discordaria da opinião de Freud a respeito da religião. Para ele, reconhecer a nossa impotência era um sinal de maturidade espiritual, e pedir a ajuda de Deus e dos outros era a melhor coisa a ser feita. A religião não foi feita para ser uma defesa contra a sensação de desamparo; ela é uma resposta positiva a este sentimento que nos abre a um relacionamento com alguém capaz de nos ajudar quando precisamos. Para Jesus, todos vivemos sensações de desamparo e todos necessitamos de Deus.

PRINCÍPIO ESPIRITUAL: A saúde começa com o reconhecimento de que não somos Deus.

POR QUE JESUS ODIAVA O FUNDAMENTALISMO RELIGIOSO

"Ai de vós, escribas e fariseus hipócritas!"
Mateus 23:27

Embora Jesus certamente fosse discordar das conclusões de Freud a respeito de religião em geral, ele concordaria com a crítica específica aos fundamentalistas religiosos. Jesus detestava o uso distorcido da religião e a via como uma estrutura que torna mais fácil o relacionamento com Deus, e não como um conjunto rígido de regras que fazem as pessoas se sentirem bem ou mal.

O casamento de Noah e Rachel estava abalado. Noah tivera uma única relação extraconjugal, mas se sentia péssimo e tentava entender como aquilo podia ter acontecido com ele e com seu casamento. Embora só tivesse acontecido uma vez, ele sentiu necessidade de confessar a Rachel o ocorrido e pedir perdão. Ela ficou furiosa.

Na condição de cristã extremamente fervorosa, Rachel considerou aquele ato inaceitável. Noah cometera o único pecado que lhe dava uma justificativa bíblica para o divórcio, e ela pretendia "obedecer à Palavra de Deus". Noah estava arrependido, mas ao mesmo tempo confuso. Ele achava que a sua traição não tinha sido apenas o resultado de uma fraqueza, mas também um sinal de que alguma coisa estava errada em seu casamento. Rachel encarava essa atitude do marido como prova de que ele no fundo não estava arrependido e o ameaçou com o divórcio.

O aconselhamento conjugal foi difícil porque Rachel se convencera de que era a vítima inocente de um ato pecaminoso de imoralidade, enquanto que Noah queria mais entender por que aquilo tinha acontecido. Rachel tornara-se grande conhecedora dos versículos bíblicos sobre a infidelidade e os votos do casamento e os usava abundantemente em nossas sessões.

– Se você passasse mais tempo refletindo sobre a Palavra de Deus, não seria vítima dessas coisas – era o que Rachel oferecia como solução. – Teria sabido que o seu corpo não pertence a você.

Noah baixava os olhos, sem saber o que responder.

Embora Noah e Rachel tenham decidido permanecer juntos, o aconselhamento conjugal terminou de uma maneira um tanto insatisfatória para todos nós. Para Noah, duas questões permaneceram pendentes: o perdão de que ele precisava por ter pecado contra a mulher e os problemas de relacionamento que o tinham feito procurar sexo fora do casamento. Em vez de procurar examinar os problemas do relacionamento, Rachel acusava o marido de má vontade em assumir a responsabilidade pelos pecados da carne. Ele pecara contra ela, e ela esperava que ele passasse o resto da vida tentando redimir-se. Ela tinha o direito bíblico de deixá-lo quando quisesse e, se resolvesse fazer isso, exerceria o seu direito com uma justificada indignação.

Jesus considerava a infidelidade um pecado nocivo para os relacionamentos. Mas ele queria que a Sagrada Escritura fosse usada para beneficiar o nosso relacionamento com Deus e com as outras pessoas e não para nos dar poder sobre elas. As pessoas às vezes acreditam que as escrituras contêm provas de que elas estão certas, quando na verdade estão espiritualmente erradas. Rachel usava a religião como uma defesa para não examinar a maneira como ela própria contribuíra para os problemas do casamento. Não é este o objetivo da religião. Este é o tipo de fundamentalismo religioso que torna as regras mais importantes do que as pessoas e não contribui em nada para o crescimento espiritual.

Quando as regras passam a ser mais importantes do que os indivíduos que as seguem, a religião pode tornar-se nociva. Jesus considerava ofensivo as pessoas pegarem as Escrituras, que têm o potencial de uni-las a Deus e aos outros, e as usarem para exercer poder. Para Jesus, a religião deveria produzir compaixão e conexão e não arrogância e autoritarismo.

PRINCÍPIO ESPIRITUAL: A verdadeira religião fortalece a compaixão e a ligação com Deus e os outros.

O PROBLEMA COM A RELIGIÃO

"Quero misericórdia e não sacrifícios."
Mateus 12:7

A Sra. Johnson é uma assistente social que supervisiona casos de abuso infantil e leva o seu trabalho muito a sério. O número de casos sob sua responsabilidade é maior do que o dos seus colegas, e ela trabalha mais horas porque tem a necessidade obsessiva de prestar atenção aos detalhes. Embora a Sra. Johnson não seja uma pessoa religiosa, sua dedicação ao trabalho é religiosa.

Hannah, que foi recentemente contratada para trabalhar com a Sra. Johnson, também é assistente social e está ansiosa para crescer na carreira. Ela não se concentra tanto nos detalhes como a Sra. Johnson, mas sente que escolheu a profissão certa devido ao seu amor pelas crianças. Hannah é idealista e espera que o seu otimismo seja útil para enfrentar desafios mais difíceis. Ela tem uma grande paixão pela sua atividade profissional com as crianças.

Infelizmente, a Sra. Johnson não gosta nem das idéias nem da abordagem de Hannah. Ela acha que precisa defender o campo da assistência social de pessoas sonhadoras como Hannah que dão mais valor à relação amorosa com as crianças do que ao trabalho árduo para protegê-las, cuidando obsessivamente dos menores detalhes operacionais. "A única maneira de nos tornarmos bons assistentes sociais é passar mais tempo no campo de batalha e prestar atenção aos detalhes", costuma dizer a Sra. Johnson.

Com o passar do tempo, as coisas se tornaram cada vez mais difíceis. A Sra. Johnson repreendia Hannah sempre que esta cometia um erro ao arquivar documentos, constantemente criticava as decisões dela nos casos administrativos e nunca perdia a oportunidade de corrigi-la em relação à política do departamento. Hannah finalmente deixou o emprego sentindo-se desanimada e oprimida.

"Acho que não fui feita para este tipo de trabalho", disse ela no seu último dia. "A atitude de vocês diante da vida é diferente da minha."

O trágico é que Hannah poderia ter se tornado uma boa assistente social caso tivesse recebido um estímulo suficiente. Mas como nunca seria uma profissional do feitio da Sra. Johnson, foi rejeitada. A Sra. Johnson sacrificava-se muito, mas lamentavelmente seu sacrifício decorria mais da rígida necessidade de seguir as regras do que da compaixão pelos outros. As pessoas podem ter uma rigidez religiosa com relação a muitas coisas na vida; no caso da Sra. Johnson, tratava-se do trabalho. Jesus ensinou que a rigidez das pessoas sempre causa vítimas. Neste caso, Hannah foi a prejudicada.

No decorrer da história, muitas pessoas se engajaram em várias formas de sacrifício como parte da prática religiosa. Abrir mão dos desejos pessoais em benefício dos outros pode ser um sinal de verdadeira compaixão quando motivado pelo amor. No entanto, o sacrifício desprovido de amor é uma religião vazia.

Jesus acreditava que a religião destituída de amor é sinônimo de religião vazia. É por isso que ele desejava "misericórdia" em vez de sacrifícios. A adesão rígida a práticas religiosas que perdem de vista o propósito original de desenvolvermos uma relação de amor com os outros é uma religião negativa. Jesus amava a religião, mas odiava a rigidez. O problema não é a religião e sim a sua prática inflexível que priva as pessoas do que elas têm de melhor.

PRINCÍPIO ESPIRITUAL: O problema não é a religião
e sim a rigidez religiosa.

O PROPÓSITO DA RELIGIÃO

"Vai primeiro reconciliar-te com o teu irmão e então volta para apresentar a tua oferenda."
Mateus 5:24

Há muitos anos, um amigo chamado Vern convidou-me para ir com ele visitar uma prisão municipal para conversar com os presos e descobrir um lado da vida que eu não conhecia. Meu amigo fazia isso regularmente.

Cheguei ao presídio antes de Vern e os delegados me contaram que muitas pessoas bem-intencionadas procuraram no decorrer dos anos oferecer apoio aos prisioneiros, mas a experiência demonstrara que esse amparo nunca era duradouro. Vern era a única pessoa que provara ser capaz de se manter fiel a um trabalho que não foi feito para os fracos.

Vern percorria as celas oferecendo a cada detento uma pequena Bíblia e depois perguntava se ele gostaria de conversar a respeito de Deus. Quando o preso aceitava, Vern começava a falar dos benefícios de um relacionamento com Deus de uma maneira que os presos eram capazes de entender. Lembro que fiquei chocado com a linguagem que ele usava, mas, quando olho para trás, percebo que era talvez a única forma de se fazer ouvir.

Nunca me esquecerei de Vern, com sua roupa esportiva fora de moda, falando com os prisioneiros em uma linguagem grosseira e inculta. Duvido que ele pudesse causar uma impressão positiva na maioria dos círculos religiosos, por causa de sua aparência e do seu jeito, mas felizmente ele não se preocupava em se enquadrar em grupos tradicionais. A religião de Vern era o seu relacionamento com os prisioneiros, com os delegados e com Deus. Todos tinham por ele o maior respeito.

Penso na minha experiência com Vern e sou grato pela oportunidade de ter conhecido um homem que vivia a sua fé sem pertencer a nenhuma igreja específica. Jesus sabia que algumas pessoas *usam* a religião, mas que outras a *vivem*. Jesus condenava seu uso para alcançar uma posição social, oportunidades de apoio ou poder sobre os outros. Seu propósito é nos trazer vida. Estava evidente nos ensinamentos de Jesus que o amor e a reconciliação com os outros são mais importantes do qualquer ritual religioso. A prioridade dele era clara: "Vai primeiro reconciliar-te com o teu irmão."

PRINCÍPIO ESPIRITUAL: A religião tem um único propósito: ligar-nos amorosamente a Deus e aos outros.

O PROPÓSITO DAS REGRAS ESPIRITUAIS

"Não penseis que vim abolir a lei."
Mateus 5:17

Os psicólogos que estudaram o desenvolvimento da moral humana chegaram a uma interessante conclusão. Começamos a vida com regras bastante concretas para lidar com as questões morais. *Temos* que seguir as regras. À medida que amadurecemos, compreendemos que as regras são *diretrizes* e não *leis rígidas* que devem ser obedecidas.

À primeira vista essa afirmação pode dar a impressão de que estou dizendo que quanto mais as pessoas se desenvolvem moralmente, mais elas fazem apenas o que querem. No entanto, as pesquisas demonstraram que no mais elevado nível de desenvolvimento moral nós, seres humanos, levamos em conta não apenas as nossas necessidades, mas também as dos outros. Na vida dos poucos que alcançaram os estágios superiores da evolução moral podemos observar o que Jesus ensinou, ou seja, que as regras só existem para nos ajudar a amar.

O casal Tompkins me telefonou porque estava tendo dificuldade em controlar a filha adolescente, Amanda. Era uma jovem excepcionalmente inteligente e tinha sido uma aluna exemplar na escola até dois anos antes. Agora ela fora reprovada na maioria das matérias, costumava matar aulas e tinha problemas por causa do seu comportamento. A criança-modelo transformara-se em pesadelo.

O Sr. e a Sra. Tompkins eram pessoas extremamente amorosas e bondosas. Parecia injusto que a filha de pessoas como eles tivesse um comportamento tão nocivo.

Enquanto conversávamos a respeito do que estava acontecendo, descobri que eles podiam estar involuntariamente contribuindo para o problema. Ambos haviam sido criados por pais autoritários cuja disciplina era muito rígida e punitiva. Para compensar essa falta de amor, resolveram exercer a disciplina na sua família de maneira bastante diferente daquela com que tinham sido criados.

O casal estava tentando ser o mais carinhoso possível com a filha, mas eles achavam que o amor não podia colocar limites. Agindo assim, pensavam estar respeitando a filha deixando-a fazer tudo o que quisesse. Achavam que ela só se sentiria amada se soubesse que eles confiavam na sua capacidade de julgamento. Mas o que não compreendiam era que, além de respeito e confiança, o amor precisa colocar limites que dêem segurança à criança.

Com a ajuda da terapia, os Tompkins foram capazes de estabelecer algumas regras no seu relacionamento com Amanda: tratar os outros com respeito, honrar o toque de recolher e cumprir compromissos como ir à escola e realizar tarefas que lhe fossem designadas. No início, Amanda ficou furiosa com os pais. Mas com o tempo as coisas começaram a mudar. A freqüência de Amanda à escola melhorou, ela começou a passar menos tempo na sala do diretor e a sua linguagem em casa tornou-se mais civilizada. No entanto, a mudança mais importante foi o fato de que em poucas semanas a jovem pareceu mais feliz. A família Tompkins descobriu a antiga verdade que Jesus pregou há muito tempo. Quando usadas da maneira apropriada, as regras existem para nos ajudar a exercer melhor o amor.

Jesus ensinou que a forma mais elevada de desenvolvimento humano é amar os nossos semelhantes. Embora devamos aspirar a esse estado, não é fácil alcançá-lo. Todas as religiões contêm um conjunto de regras ou rituais que são usados para estruturar as atividades religiosas dos participantes. As regras que Jesus praticava serviam para facilitar o amor aos outros. Para ele, os mandamentos de Deus existiam para ajudar os seres humanos a alcançar o seu estado mais elevado, desenvolvendo a capacidade de "amar uns aos outros".

PRINCÍPIO ESPIRITUAL: Quando o amor é a lei, nós nos apoiamos nela para nos desenvolvermos.

CAPÍTULO 6

Entendendo o vício

Um certo homem de posição perguntou-lhe: "Bom Mestre, o que devo fazer para ganhar a vida eterna?"
Jesus respondeu: "Por que me chamas de bom? Ninguém é bom a não ser Deus. Conheces os mandamentos: Não cometerás adultério, não matarás, não furtarás, não darás falso testemunho, honra teu pai e tua mãe."
"Tudo isso eu tenho observado desde que era menino", disse ele.
Ouvindo isso, Jesus lhe disse: "Ainda te falta uma coisa: vende todas as coisas que tens, distribui o dinheiro aos pobres e terás um tesouro no céu; depois vem e segue-me."
Ao ouvir isso, o homem ficou triste, porque era muito rico. Vendo-o assim triste, Jesus disse: "Como é difícil para os que têm riquezas entrar no reino de Deus! É mais fácil um camelo passar pelo buraco de uma agulha do que um rico entrar no reino de Deus."

Lucas 18:18-25

Algumas pessoas têm dificuldade em relacionar-se com Deus, mas, como precisam ligar-se a *alguma coisa*, colocam objetos no lugar dele. É assim que Jesus definia a idolatria. Ele sabia que o homem rico precisava renunciar à sua veneração pela riqueza para poder abrir espaço no coração para um relacionamento com Deus.

Algumas pessoas têm dificuldade em relacionar-se com outras pessoas. Quando seus relacionamentos são ameaçados ou perdidos, elas os substituem por objetos. Esta é a definição de vício. O antigo problema da idolatria manifesta-se como o problema moderno do vício. Como descobriu o homem rico, quando os relacionamentos são substituídos por objetos, renunciar a estes pode ser muito difícil.

Apegar-se a um objeto para compensar a nossa necessidade de amor insatisfeita pode funcionar, mas temporariamente. A euforia que extraímos da posse de certos objetos pode nos fazer esquecer que na verdade precisamos de algo mais profundo. No entanto, como o objeto é apenas um substituto do amor que trocamos nos relacionamentos, essa satisfação nunca é duradoura. Precisamos retornar repetidas vezes ao objeto para afastar os sentimentos de vazio e insatisfação. Segundo Jesus, o ídolo é um substituto do amor porque é uma tentativa de colocar um objeto no lugar de um relacionamento amoroso. O vício é um substituto do amor pela mesma razão.

Lidar com as pessoas que não se sentem amadas e por isso se voltaram para o vício pode ser útil, mas somente durante algum tempo. Animar as pessoas que estão nessa situação também pode ser proveitoso, mas também é limitado. Apenas uma coisa é capaz de curar o vício humano e expulsar a idolatria: o amor genuíno. Os seres humanos só ficam satisfeitos quando experimentam o que é autêntico.

O VÍCIO E A IDOLATRIA

"Onde estiver o vosso tesouro, aí estará também o vosso coração."
Lucas 12:34

Tim era um empresário inteligente e bem-sucedido que veio fazer terapia por insistência da mulher. Não havia problemas entre os dois, mas o casamento estava monótono. Logo descobri que as queixas da mulher de Tim estavam relacionadas ao fato de o marido, apesar de presente fisicamente, ficar distante, bebendo uma quantidade de uísque que o deixava sonolento e incapaz de conversar sobre questões mais profundas. Ele se justificava dizendo que esta era a sua maneira de relaxar e lidar com o estresse. Ela reclamava acusando-o de estar encobrindo os seus sentimentos que ela queria muito conhecer.

Sugeri a Tim que parasse de beber enquanto estivesse fazendo terapia para que o casal pudesse lidar com tudo o que estivesse sentindo. Ele concordou, mas só conseguiu cumprir o combinado durante alguns dias. Quando os seus sentimentos atingiam um ponto no qual ele se via ameaçado de ser obrigado a conviver com eles, Tim não conseguia resistir e voltava a beber.

Como acontece com freqüência em casos desse tipo, a terapia conjugal também começou a ficar monótona. Se as pessoas não conseguem expor seus verdadeiros sentimentos, nem mesmo a melhor terapia é capaz de produzir resultados. O ponto crítico aconteceu quando eu disse a Tim que não achava que a terapia iria poder ajudá-lo enquanto ele continuasse a beber. Infelizmente, apesar de perceber que estava destruindo seu relacionamento comigo e com a mulher, Tim não conseguiu parar. Sugeri que fosse a uma reunião dos Alcoólicos Anônimos, mas ele se recusou. Em vez de lidar com os seus sentimentos, Tim voltou-se para o uísque. Embora nunca fosse capaz de admiti-lo, a bebida passara a ocupar um lugar tão importante na sua vida que psicologicamente havia se tornado um vício e espiritualmente se transformara no seu Deus.

Não sei como as coisas transcorreram depois para Tim, porque ele encerrou a terapia antes de conseguir mudar. Como o homem rico na parábola de Jesus, ele simplesmente foi embora. Podemos escolher entre as "coisas" e os relacionamentos. Quando elegemos as "coisas", submetemos a nossa vida a deuses que nos escravizam em vez de nos libertar.

Jesus não tinha uma palavra para vício, mas ele compreendia que, quando criamos "deuses" que exigem a nossa atenção a ponto de destruirmos os nossos relacionamentos com outras pessoas, certamente estamos com graves problemas. A palavra que ele usava para isso era idolatria.

Jesus disse algo ao homem rico: "*Vende todas as coisas que tens, distribui o dinheiro aos pobres.*" Jesus desejava que o homem percebesse que as suas "coisas" ocupavam o centro do seu interesse. O homem tinha substituído um relacionamento genuíno com Deus por "coisas". Ele se viciara nos seus ídolos.

PRINCÍPIO ESPIRITUAL: Nenhum substituto do amor perdura.

O PROBLEMA COM AS DROGAS

"É mais fácil um camelo passar pelo buraco de uma agulha do que um rico entrar no reino de Deus."
Lucas 18:25

O motivo pelo qual as pessoas não conseguem abandonar os seus vícios é o fato de eles funcionarem – temporariamente. Voltar-se para algo que produz repetidamente uma espécie de conforto dá às pessoas uma falsa sensação de segurança. Elas conseguem afastar a dor de não conseguirem satisfazer as suas necessidades mais profundas. Os relacionamentos são desafiantes e trabalhosos porque nos fazem exigências. As coisas concretas são sempre as mesmas; sabemos o que esperar delas.

No entanto, a satisfação proveniente do uso de coisas materiais como substitutos não é duradoura. A dor das necessidades essenciais acaba reaparecendo, e por isso voltamos à solução mais fácil, apesar de descobrirmos aos poucos que ela não é suficiente. Passamos então a precisar de uma quantidade cada vez maior, embora algo dentro de nós saiba que não é dela que realmente precisamos. É por isso que o vício é chamado de doença progressiva.

Joguei futebol no colégio com Ricardo. Era uma pessoa extremamente gentil e educada fora do campo e excepcionalmente violenta e agressiva dentro dele, como se a sua personalidade se transformasse quando vestia o uniforme. Eu sabia que ele vinha de um ambiente familiar no qual sofria abuso e que tinha muitas coisas dolorosas para encobrir na vida. Hoje, ao olhar para trás, acho que sei de onde vinha toda a violência que ele despejava sobre os jogadores do time adversário.

Ricardo era altamente considerado por todos. Os rapazes o respeitavam devido à reputação que ele conquistara no campo de futebol, e todas as meninas o admiravam por causa do seu jeito sofisticado. Sabíamos que Ricardo fumava maconha, mas não dávamos muita importância ao fato porque ele parecia estar sempre no controle da situação. Quando tínhamos dificuldades, Ricardo era a pessoa que encontrava uma saída. Todo mundo queria ser seu amigo.

Vários anos depois de me formar fui visitar a minha cidade natal. A perspectiva de ver Ricardo me deixava animado e eu esperava com prazer o nosso encontro. Tragicamente, eu não poderia ter ficado mais desapontado. Tudo indicava que Ricardo passara a fazer uso mais intenso das drogas e voltara-se para substâncias mais pesadas. Às dez da manhã ele não conseguia permanecer alerta o suficiente para manter uma conversa. Sua mente divagava enquanto conversávamos, e o que ele falava freqüentemente não fazia muito sentido. Disse que não estava trabalhando naquele momento e tive a impressão de que estava tendo dificuldade em conseguir um emprego fixo. O rapaz que eu tanto admirara deixara de existir. Saí do nosso encontro sentindo-me muito triste.

A tragédia na vida de Ricardo era que ele estava tentando lidar com os traumas dolorosos usando drogas. O uso das drogas ajudou-o a enfrentar as dificuldades durante a adolescência, possibilitando que fosse um dos rapazes mais populares da escola. No entanto, ser capaz de enfrentar problemas não é o mesmo que resolvê-los. Os demônios acabavam voltando e ele precisava de uma estratégia mais eficiente para enfrentá-los porque a antiga droga não estava mais funcionando. Ricardo apelava para uma substância material procurando lidar com sentimentos que só podiam ser examinados e resolvidos nos relacionamentos com outras pessoas. Tal como o homem rico que foi incapaz de renunciar ao apego à riqueza material, Ricardo estava dominado pelo vício devido à euforia que as drogas lhe proporcionavam. Quando a euforia diminuía, Ricardo voltava ao altar do seu vício em busca de outro adiamento temporário da sua dor. Tal como Jesus previu, é muito difícil desistir de qualquer tipo de idolatria.

Jesus sabia que, quando passamos a nos apoiar em coisas materiais para nos sentirmos seguros, é muito difícil desistir delas. Foi isso que ele quis transmitir quando disse que "é mais fácil um camelo passar pelo buraco de uma agulha do que um rico entrar no reino de Deus". Ele não estava falando a respeito de dinheiro e sim de idolatria. É fácil viciarmo-nos em coisas materiais e acreditar que elas podem substituir as nossas necessidades emocionais. Quando nos viciamos nelas, é muito difícil largá-las.

PRINCÍPIO ESPIRITUAL: O problema das drogas é que elas nos fazem sentir melhor – apenas temporariamente.

AS DROGAS NÃO PODEM NOS AJUDAR A CRESCER

"Esforçai-vos não pelo alimento que se estraga e sim pelo alimento que permanece até à vida eterna."
João 6:27

Ashley é uma mulher incrível. Além de ser uma advogada de sucesso, é pianista clássica e está em melhor forma física do que mulheres bem mais jovens do que ela. É capaz de fazer quase tudo.

A meta de Ashley é ter êxito em qualquer coisa que faça, e na maior parte das vezes é exatamente isso o que acontece. Procurou a terapia porque queria uma opinião profissional sobre como lidar com a ansiedade que sentia.

– Você faz hipnose? – perguntou na nossa primeira sessão.

– Não – respondi.

– Achei que poderíamos chegar lá mais rápido – retrucou ela.

– Chegar aonde? – perguntei.

– Ao ponto em que eu não me sinta mais ansiosa, é claro – ela respondeu surpresa.

Embora a vida de Ashley fosse complexa, o que ela buscava na terapia era bastante simples: definir uma meta e alcançá-la o mais rápido possível. Esta estratégia tinha dado certo em outras áreas da sua vida, de modo que ela esperava também poder aplicá-la à terapia.

Rapidamente pude perceber que Ashley e eu tínhamos objetivos conflitantes. O dela era contratar-me para ajudá-la a se livrar de emoções perturbadoras. O meu era ajudá-la a compreender a si mesma para então *lidar* com essas emoções. Ela estava tentando livrar-se dos seus sentimentos, e eu estava procurando fazer com que ela entrasse em contato com eles. Tínhamos nas mãos um problema.

Ashley era viciada no sucesso. Precisava ser sempre a melhor, possuir as coisas mais atualizadas e saber mais do que todo mundo. Ela acreditava que Deus queria o seu sucesso. O problema era que Ashley tinha criado um Deus à sua própria imagem e acreditava na euforia que os seus ícones de sucesso lhe proporcionavam.

O fato de Ashley cultivar o sucesso estava conseguindo fazer com que ela não se sentisse mal com relação à sua vida. Ashley tinha tudo o que queria, mas como estava indo apenas atrás de "coisas" o benefício que recebia era limitado. Sempre que começava a sentir-se ansiosa, ela saía para fazer compras ou planejava uma viagem. Se em algum momento ela se perguntava sobre o significado da vida, pensava na sua realização profissional. O sucesso de Ashley era um grande antídoto para qualquer sentimento doloroso.

Embora Ashley estivesse a cada ano fazendo um número cada vez maior de conquistas, descobrimos uma coisa interessante na terapia: ela continuava basicamente a mesma pessoa. Os seus objetivos eram os mesmos, apenas maiores. Os seus desejos eram os mesmos, somente menos satisfatórios. No nível material, a cada ano Ashley alcançava mais sucesso, mas no nível espiritual e emocional era como se vivesse repetidamente o mesmo ano. Ashley não precisava de uma nova droga para se sentir melhor; ela necessitava de um novo Deus.

Ashley e eu acabamos descobrindo que a sua ansiedade estava lhe dizendo uma coisa. Ela gostava do sucesso, mas não era realmente feliz. Precisava entregar a sua vida a algo que lhe retribuísse à altura. O sucesso é um Deus egoísta – quando o veneramos, ele nos empobrece espiritualmente. Ele nos ajudará a colecionar ídolos, mas não nos ajudará a sermos pessoas melhores. Na verdade, o fracasso é mais eficaz neste sentido. Ashley chegou à conclusão de que, embora o seu portfólio estivesse crescendo, ela não estava. Precisava ouvir os seus sentimentos e não se livrar deles.

Os deuses de Ashley estão mudando. O seu conceito de crescimento está começando a ter menos a ver com o sucesso profissional e mais com a qualidade dos seus amigos. Ashley já não tem tanta pressa porque a perspectiva de tempo do seu novo Deus é diferente. O surpreendente é que, apesar de não estar fazendo tantas coisas quanto antes, ela sente que está vivendo uma vida mais completa.

Jesus constantemente orientava as pessoas para as coisas eternas. Ele sabia que a nossa atração pela gratificação instantânea resulta em uma satisfação temporária e em uma insatisfação crônica. Ele sabia que a euforia da idolatria é apenas um antídoto para a dor e o desapontamento na nossa vida. O sofrimento pára, mas apenas temporariamente. Esse tipo de antídoto neutraliza os sintomas, mas não cura.

Jesus nunca encorajou as pessoas a evitar o sofrimento na vida, porque ele não estava interessado em um alívio rápido. Ele não queria que as pessoas apenas se sentissem melhor, mas que elas efetivamente melhorassem. A idolatria pode momentaneamente evitar a dor, mas impede também o crescimento. Enquanto nos preocupamos com os ídolos, permanecemos imaturos. A idolatria ajuda as pessoas a evitar as coisas, ao passo que o crescimento só acontece quando as enfrentamos.

PRINCÍPIO ESPIRITUAL: Os viciados veneram um Deus egoísta.

O VÍCIO RELIGIOSO

"Se a vossa justiça não for maior do que a dos escribas e fariseus, não entrareis no reino dos céus."
Mateus 5:20

Ryan freqüenta regularmente a igreja, oferece-se como voluntário e está sempre ansioso para discutir religião. Ele tem numerosas imagens e símbolos religiosos no seu apartamento e no carro, gosta de citar a Bíblia para reforçar o que esteja querendo provar, mas desconfia das pessoas que fazem o mesmo quando elas discordam da sua interpretação.

Ryan é muito rígido a respeito de como as pessoas devem se tornar cristãs. Ele tem idéias muito firmes sobre como elas devem falar, o que devem ler, que tipos de divertimento são aceitáveis e como devem pensar a respeito dos assuntos sociais. Embora ele afirme ter entregue a Deus o controle da sua vida, quase todo mundo o considera muito controlador.

Infelizmente, Ryan não deseja relacionamentos e sim discípulos. Ele precisa que os outros confirmem as suas convicções religiosas aceitando-as incondicionalmente. Ele não está usando a sua religião com o objetivo de estabelecer uma conexão e sim de impor seus pontos de vista. Esta nunca foi a intenção de Jesus. Embora Ryan diga às pessoas que deseja que elas sigam Jesus, na verdade é a ele próprio que ele quer que sigam.

Internamente, ele vive dúvidas e angústias que tenta encobrir para si mesmo com seu fanatismo religioso. Um de seus amigos sugeriu certa vez que ele se consultasse com um terapeuta devido à dificuldade que estava tendo no relacionamento com a namorada. Mas Ryan desconfia da psicologia. Ele acredita que todos os problemas são resultado da falta de fé e duvida que a terapia possa ajudá-lo. A verdade é que Ryan não quer conversar com um terapeuta porque não deseja revelar suas dúvidas, inseguranças e sentimentos de confusão interior. Ele gosta de se sentir forte e no controle da situação.

O que Ryan não percebe é que a sua religião é uma forma de idolatria, porque está sendo usada para encobrir sentimentos dolorosos em vez de ligá-lo a Deus e aos outros. Em vez de entender seus sentimentos, ele os dissimula com uma linguagem e com rituais religiosos. Ryan usa isso para se medicar contra a dor e o sofrimento, que é o oposto do que Jesus fazia. Ryan tornou-se viciado em controle, e a religião passou a ser a sua droga predileta para garantir a sensação de poder. Provavelmente será necessário que aconteça uma crise na vida de Ryan para fazer com que ele reexamine a sua religião e possa usá-la para favorecer o seu relacionamento com Deus.

Para Jesus, a religião e a idolatria eram absolutamente diferentes. Os fariseus e os escribas eram pessoas sinceramente religiosas que não se consideravam idólatras, porque adoravam a Deus. Mas Jesus advertiu que não devemos usar a religião para parecer íntegros, escondendo dentro de nós os nossos verdadeiros sentimentos. Para ele, a integridade baseada nos relacionamentos era muito mais importante do que a integridade fundamentada em dogmas. Aquilo que Jesus descrevia como idolatria eu vejo hoje no meu consultório como vício.

Para Jesus, o propósito da religião era favorecer o relacionamento com Deus e com os outros e não substituí-lo. Às vezes as pessoas usam a religião para se sentirem melhor, exatamente como os viciados com as drogas. No caso da idolatria, as leis e os rituais religiosos se tornam a "droga," proporcionando às pessoas à ilusão de serem melhores do que realmente são.

PRINCÍPIO ESPIRITUAL: A religião é um caminho e não um destino.

A TERAPIA PODE SER UM VÍCIO?

"Confiai em Deus."
João 14:1

Nem todo mundo que procura a terapia realmente deseja lidar com os seus verdadeiros sentimentos. O objetivo de algumas pessoas é simplesmente fazer com que seus problemas desapareçam, sem de fato procurar entendê-los. Quando a terapia é usada desta forma, ela corre o risco de se tornar uma espécie de droga viciadora. A tentativa de evitar sentimentos difíceis conduz ao vício, não a genuína expressão deles.

Julia foi criada em uma cidade conservadora do Meio-Oeste onde aprendeu a importância de uma boa ética de trabalho junto com valores religiosos tradicionais. Ela é conscienciosa a respeito de tudo o que faz e sempre mantém a palavra quando assume um compromisso. Seu relacionamento com a mãe foi horrível, e ela tem dificuldades em relacionar-se com o marido, mas recusa-se a admitir que a mãe e o marido tenham qualquer parcela de culpa na infelicidade da sua vida. "Isso são águas passadas", disse quando fiz perguntas sobre a sua infância. "Sou a única responsável pelos problemas na minha vida, ninguém mais é culpado."

Apesar de sentir-se mal, Julia não consegue imaginar como poderia modificar sua vida.

Julia era *excessivamente* responsável. Ela se culpava por tudo o que estava errado na sua vida. Não procurou a terapia para entender seus sentimentos, pois achava que já os entendia. Ela acreditava que estava errada e apenas queria que eu lhe dissesse como se comportar para melhorar a situação. Havia muitas coisas que Julia precisava entender a respeito de si mesma, mas era difícil convencê-la disso. Por exemplo, ela se sentia culpada com relação ao seu relacionamento com a mãe e o marido, assim como a respeito de muitas coisas na sua vida, e culpava-se como um tipo inconsciente de autopunição. Infelizmente, Julia estava querendo usar a terapia para eliminar esses sentimentos em vez de trazê-los à tona.

A terapia é extremamente útil para as pessoas que chegam à conclusão de que não têm respostas para seus problemas e desejam entendê-los. Julia estava convencida de que fazer perguntas sobre os seus sentimentos ou o seu passado era uma perda de tempo. "Muito bem, eu me sinto triste a respeito disso", disse ela quando descobrimos seus sentimentos de dor com relação ao seu casamento. "Então o que é que eu posso fazer de diferente?" Ela se preocupava em mudar seu comportamento, sem perceber que suas atitudes provinham de sentimentos que precisavam ser examinados. Ela estava convencida de que concentrar-se nos sentimentos só iria piorar as coisas.

A terapia de Julia começou a funcionar melhor quando ela finalmente foi capaz de abrir-se aos seus sentimentos mais profundos e acreditar que este procedimento a ajudaria a crescer. Embora não pudesse percebê-lo, ela estava antes tentando usar a terapia como um vício. No entanto, a terapia usada para evitar os sentimentos dolorosos não ajuda as pessoas a mudar. Além disso, como Julia descobriu, tampouco as ajuda a confiar mais nos relacionamentos, inclusive no relacionamento com Deus.

Julia começou a sentir-se diferente a respeito da sua vida quando parou de tentar fazer com que eu lhe dissesse o que *fazer* e começou a procurar descobrir como se *sentia* com relação ao que já tinha feito. Ela percebeu que os seus sentimentos de culpa faziam com que ela se criticasse demais e começou a compreender a diferença entre autocondenação e responsabilidade. Passou a usar a terapia para descobrir como usar os sentimentos de uma maneira construtiva nos seus relacionamentos com os outros. Quando a terapia tornou-se um recurso capaz de ajudá-la a ser mais consciente, o relacionamento dela com a mãe, com o marido e com Deus melhorou muito.

Jesus acreditava que precisamos confiar em Deus. Para ele, Deus era a fonte suprema de força e poder para viver a vida. Algumas pessoas religiosas criticam a terapia acreditando que ela nos afasta de Deus. Em geral, quem acha isso tem pouca experiência com a terapia ou tentou usá-la como vício. Descobri que, pelo contrário, as pessoas que se tornam mais maduras e conscientes através da terapia conseguem aprofundar a sua confiança em Deus e nos outros com muito mais liberdade.

Para Jesus, não havia conflito entre confiar em Deus e depender dos outros. Ele dependia dos amigos mais chegados e os estimulava a depender dele de uma maneira que fortalecia a confiança deles em Deus. A nossa capacidade de contar com os outros compartilhando os nossos sentimentos mais íntimos aprofunda a nossa capacidade de ter fé.

PRINCÍPIO ESPIRITUAL: A terapia é um processo de dependência saudável.

TER NECESSIDADES NÃO FAZ DE NÓS PESSOAS CARENTES

"Confiai também em mim."
João 14:1

"Eu gostaria de trabalhar a minha auto-estima", anunciou Grace na nossa primeira sessão. "Sei que pode ser difícil, mas a maioria das pessoas não me compreende. Espero que você possa me ajudar."

Grace fizera terapia antes e acreditava que tinha progredido muito, mas ainda se sentia mal a respeito de si mesma e queria tentar melhorar este sentimento. Era muito insegura na presença de outras pessoas e não tinha muitos amigos. Freqüentava algumas reuniões de grupo na sua igreja, mas nunca tinha feito amizade com ninguém. Grace se via como uma pessoa desajustada que queria desesperadamente pertencer a algum grupo. Se alguém lhe dava atenção, ela se agarrava a essa pessoa como se este fosse o único contato humano que iria obter. Grace detestava ser tão carente, mas não conseguia mudar.

No início, Grace telefonava para mim com relativa assiduidade entre as consultas por causa de alguma crise sobre a qual queria conversar. Aumentamos a freqüência das sessões, o que ajudou, mas Grace ainda se via envolvida em estados emocionais com os quais não conseguia lidar. Ela precisava telefonar-me para pedir ajuda. Grace não queria admitir, mas estava com medo de ter me transformado em um ídolo e de ser uma pessoa fraca demais para lidar com as dificuldades sem a minha ajuda. Era como se fosse viciada no nosso relacionamento, precisando de "doses" regulares de minha ajuda para conseguir atravessar a maioria dos dias.

Com o tempo, Grace e eu viemos a perceber que o seu problema não era o fato de ela depender excessivamente de mim e sim de ela ter horror de depender de mim. Quando coisas desagradáveis lhe aconteciam, ela dizia para si mesma que dessa vez não iria me telefonar, porque precisa lidar sozinha com os problemas. Essa situação acabava causando mais ansiedade, pois, além de enfrentar o problema que a estava incomodando, ela ainda tinha que lidar com a vontade de não precisar de mim. O aumento da ansiedade fazia com que Grace sentisse uma necessidade ainda maior de falar comigo, vontade que procurava combater, e em pouco tempo ela se via dominada por um pânico insuportável. Grace acabava sentindo-se como um viciado em drogas na fase de desintoxicação, precisando desesperadamente ouvir a minha voz para se acalmar.

As coisas começaram a mudar quando ela parou de achar que era excessivamente carente e compreendeu que precisar de mim era uma parte normal do processo da terapia. Quando Grace aceitou o fato de que dependia de mim, ela ficou mais livre para lidar com os seus sentimentos durante a semana sem o peso da vergonha de ter necessidade de falar comigo a respeito deles. Seus telefonemas diminuíram, porque ela já não se criticava tanto por querer me telefonar. Na maioria das vezes, passou simplesmente a ligar para a minha caixa postal e deixar uma mensagem, sem precisar que eu ligasse de volta. O simples fato de saber que podia contar comigo já era suficiente. Como Grace não estava mais se sentindo tão mal por precisar de mim, deixou de alimentar sentimentos muito negativos com relação a si mesma. Afinal de contas, talvez ela não fosse uma pessoa tão fraca, mas apenas uma mulher que de vez em quando tinha sentimentos intensos e queria ter a certeza de que outra pessoa a entenderia.

Apesar de ter demorado um pouco, Grace veio a compreender um aspecto fundamental da sua condição humana contra o qual estivera lutando. As pessoas são criaturas dependentes. Precisamos dos outros para sermos completos. Grace percebeu na sua própria vida que Jesus pedia que confiássemos nele, não porque fôssemos fracos e carentes, mas porque esta é a única maneira pela qual podemos crescer plenamente.

Jesus encorajava as pessoas a confiarem nele e a contarem com ele. Ele não encarava a dependência como um problema, mas como algo necessário para uma vida espiritual realizada. Jesus compreendia que os seres humanos precisam depender de Deus e dos outros para sobreviver. Tentar ser totalmente independente significa rejeitar a nossa natureza fundamental. Para Jesus, a nossa capacidade de ser vulneráveis e acolher a nossa dependência é que nos conduz à totalidade. Aqueles que se recusam a ser dependentes estão apenas fingindo que têm tudo de que precisam.

PRINCÍPIO ESPIRITUAL: Ter necessidades não nos torna carentes.

COMO ENCONTRAR A SERENIDADE

"Comigo está o Pai que me enviou."
João 8:16

Rudy era viciado na sua raiva. A carga de endorfina que acompanha uma explosão de raiva proporcionava-lhe uma sensação quase eufórica de poder e confiança para lidar com seus problemas. Sempre que Rudy se sentia inseguro ou ameaçado, ele tinha à mão a droga que escolhera. Desta forma, nunca tomava contato com sua fraqueza ou insegurança, porque em qualquer circunstância a raiva o fazia sentir-se instantaneamente forte e poderoso.

Rudy cresceu com um pai distante e exigente. Provavelmente para compensar a ausência emocional do pai, sua mãe o protegia excessivamente. Rudy sentia-se inseguro pelos dois lados: ele não se considerava à altura das expectativas do pai, e o excesso de proteção da mãe fazia com que ele não se achasse capaz de realizar as coisas por si mesmo. Ele tinha medo de experimentar coisas novas, embora fosse muito inteligente e capaz de descobrir como fazê-las rapidamente. Rudy detestava ter medo, mas sentia-se atemorizado a maior parte do tempo.

O chefe de Rudy insistiu que ele fosse fazer terapia porque a sua raiva estava atrapalhando o seu desempenho no trabalho. Não gostava de conversar comigo sobre o seu passado e era difícil identificar exatamente o que estava sentindo a maior parte do tempo. Aos poucos fui percebendo que ele só manifestava duas emoções: raiva e apatia.

Rudy vivia a maior parte do tempo quieto e insatisfeito com a vida. Era basicamente infeliz porque sentia como se estivesse vivendo abaixo do seu potencial. As únicas vezes em que Rudy se sentia realmente vivo era quando estava zangado. Sua raiva lhe dava a capacidade de concentrar-se e sentir paixão. Por isso a raiva se tornara um vício com que ele procurava encobrir sentimentos de insegurança que o tornavam vulnerável e fragilizado. Esta sensação o deixava furioso de tal forma que, quando começava a dar vazão à sua raiva, era quase impossível acalmá-lo. Passado o acesso, Rudy sentia-se pior por ter perdido o controle, o que o tornava ainda mais suscetível de ficar magoado e de recomeçar todo o ciclo da raiva.

Com o tempo, Rudy e eu viemos a entender que a sua insegurança era proveniente do fato de ele se sentir sozinho no mundo. Desde a infância, ele achara que não contava com o interesse do pai e a confiança da mãe. Nunca houve ninguém para quem ele pudesse se voltar em busca de uma ajuda genuína. Sem poder contar com ninguém, Rudy tinha a impressão de que o peso do mundo estava sobre os seus ombros, o que parece uma tarefa grande demais para qualquer pessoa. Quem não se sentiria inseguro nesta situação?

Pouco a pouco Rudy começou a deixar que eu compartilhasse parte do seu fardo emocional. À medida que passou a confiar em mim, sentiu-se menos solitário e inseguro. Os seus acessos de raiva se tornaram menos freqüentes porque ele já não ficava magoado tantas vezes e não precisava se medicar com a raiva. Rudy descobriu que tinha todo um leque de emoções sobre as quais podia falar, agora que havia alguém com quem podia contar para ajudá-lo a entender os seus sentimentos. Rudy precisava de uma pessoa ao lado de quem pudesse sentir-se em segurança. Quando permitiu que eu "substituísse" seus pais nesta condição, ele descobriu uma importante verdade a respeito da natureza humana. É uma verdade que Jesus ensinou: atingimos a verdadeira serenidade quando sabemos que podemos contar com alguém que nos faz sentir seguros.

Desenvolvemos a capacidade de nos acalmar ao sermos tranqüilizados por aqueles que se preocupam conosco. Podem ser os outros, mas podemos ser nós mesmos quando nos fortalecemos emocionalmente. O motivo pelo qual muitas pessoas se voltam para os vícios é o fato de nunca terem tido no passado alguém que as ajudasse a sentir-se seguras, desenvolvendo assim a capacidade de serenar a si mesmas. Elas usam o vício para se acalmar artificialmente ou para evitar o medo.

Jesus sabia como encontrar a serenidade: permanecendo ao lado de Deus. Todos estamos em busca de segurança e só podemos encontrá-la se nos sentirmos protegidos dos perigos existentes na vida. Onde no universo poderíamos encontrar um lugar mais seguro do que ao lado do nosso Criador? Jesus acreditava que só então poderíamos encontrar a paz de espírito. Para ele, aqueles que encontram a verdadeira serenidade nunca estão sozinhos.

PRINCÍPIO ESPIRITUAL: As pessoas verdadeiramente serenas nunca estão sozinhas.

A CURA É O AMOR

"Amai-vos uns aos outros como eu vos amei."
João 15:12

Jordan é uma ex-viciada em cocaína que participa de um programa de recuperação. "Tenho dois anos de abstinência e acho que está na hora de examinar alguns dos meus problemas com a ajuda da terapia", declarou ela na nossa primeira sessão.

Ela é uma mulher atraente que viveu intensamente num ritmo rápido. Seu antigo hábito de usar drogas estava associado a um estilo de vida extravagante que envolvia noitadas, viagens exóticas e gastos elevados. Agora ela estava grata pela nova vida, mas sem dinheiro. "Todo aquele divertimento teve um preço, mas procuro achar que tudo isso foi necessário para que eu chegasse aonde estou hoje."

Jordan tinha uma longa história de relacionamentos intensos e superficiais com homens durante o tempo em que usou a droga. Agora ela estava tentando descobrir como fazer as coisas de um modo diferente. "Tudo era mais simples antes", explicou. "Nunca esperei realmente nada além de bons momentos com aqueles caras, de modo que nunca fui ferida. Agora tudo é muito complicado." Jordan estava acostumada a se conectar através do sexo e das drogas – meios bem reais e concretos de lidar com os relacionamentos.

Jordan está tomando contato com inúmeros outros sentimentos. Ela pensa com dor e vergonha nos dias em que usou as drogas por causa da maneira como se comportava nos relacionamentos. Chegou a procurar várias pessoas e pedir desculpas por sua conduta. Ela se lembra que repetia "Eu te amo!" automaticamente para quase todo mundo que conhecia naquela época, como se fosse uma espécie de saudação que pudesse ligá-la instantaneamente aos outros. Agora ela não faz mais isso, não porque não goste das pessoas, mas porque está começando a descobrir o que significa amar de uma maneira muito mais profunda.

Hoje Jordan está tentando ligar-se às pessoas usando os sentimentos. Procura também ouvir os sentimentos dos outros e acolhê-los com atenção. Ela não diz mais "Eu te amo!" para pessoas que conhece superficialmente, porque hoje acredita que o amor é resultado de um processo. Jordan tem amigos e os ama sem vinculá-los a sexo ou drogas. Seus relacionamentos tendem a durar muito mais e a experiência de se sentir amada é magnífica e merece um investimento maior. Ela não está interessada em substitutos para o amor, agora que descobriu o que é ter o amor verdadeiro.

Os viciados amam os ídolos, mas estes não podem retribuir o amor. O vício impede o amor de amadurecer. Quando as pessoas escolhem um objeto como substituto do amor, o amadurecimento delas é interrompido. Quando os viciados conseguem renunciar ao seu apego aos ídolos e descobrem a alegria de se relacionar com pessoas capazes de amá-las ficam maravilhados. Jesus ensinou que devemos amar e ser amados para amadurecer espiritualmente e que a idolatria do vício impede que isso ocorra.

Jesus acreditava que o amor é a força mais poderosa do universo. Ele ensinou que Deus é amor e que o amor é a força criativa que supera todos os problemas do mundo. O amor é o ponto central dos ensinamentos de Jesus e é o elemento essencial para a cura do coração humano.

PRINCÍPIO ESPIRITUAL: O amor cura.

POR QUE DEUS ODEIA A IDOLATRIA

"Não acumuleis riquezas na terra, onde a traça e a ferrugem as corroem."
Mateus 6:19

Presenciar o nascimento de um ser humano é um acontecimento poderoso. Eu só compreendi realmente isso quando assisti ao parto do meu filho Brendan. Minha mulher, Barbara, e eu planejamos esse evento durante muitos anos. Fizemos vários cursos e lemos uma extensa literatura sobre o assunto. Eu não poderia estar mais preparado, e no entanto ainda não estava. Ter um filho não é uma coisa que podemos aprender com os outros; é algo que temos que experimentar pessoalmente para saber como é.

O parto de Barbara foi difícil. Após 33 horas de contrações, chegamos à conclusão de que a cabeça de Brendan era grande demais e que ele teria de vir ao mundo por meio de uma cesariana. Foi uma experiência extenuante, mas tudo acabou bem.

Nunca me esquecerei do momento em que vi meu filho pela primeira vez. "Milagre" ainda é a minha palavra predileta para descrever a experiência. Quando segurei meu filho nos braços minutos depois do parto, embora estivesse fatigado e sob tensão, notei que alguma coisa estava acontecendo entre Brendan e eu quase instantaneamente. Havia um movimento mútuo na direção um do outro. Meu filho e eu estávamos começando um relacionamento.

Sei que não posso perguntar a Brendan o que ele sentiu durante o nosso primeiro encontro na sala de cirurgia, mas certamente conheço a experiência pela qual passei. Acredito que tive um vislumbre da imagem de Deus na Terra. Tive a sensação fortíssima de estar vendo em alguém que só tinha seis minutos de vida a capacidade inata de estabelecer um relacionamento que existe dentro de cada ser humano. A partir do nosso primeiro alento na vida, buscamos um relacionamento com alguém fora de nós mesmos. Nascemos para nos relacionar, e este é o nosso aspecto divino. Aquele momento me marcou profundamente e nunca esquecerei como é poderoso ter um relacionamento de amor com o meu filho. Foi assim que fomos criados para ser e nenhum substituto para esse tipo de amor jamais poderia tomar o lugar dele.

Jesus conhecia o ensinamento do Antigo Testamento: "Não farás para ti ídolos com a forma de qualquer coisa que exista em cima, nos céus..." (Êxodo 20:4.) Ele falou do ciúme de Deus, não no sentido da insegurança por medo de perder o seu valor para outra pessoa. Deus quer proteger o mundo do jeito como o criou e fica indignado diante das tentativas de alterar a ordem natural do universo.

Jesus ensinou que a imagem visível de Deus na Terra não é uma coisa ou um objeto e sim a capacidade criativa de se relacionar. Deus fica indignado com a idolatria porque ela é uma tentativa de substituir a capacidade divina amorosa dentro de nós por uma "coisa". Ele nos conferiu a capacidade essencial de nos relacionarmos uns com os outros e com ele. Por conseguinte, a imagem de Deus na Terra não é um objeto que um dia degenerará e será destruído, mas a capacidade eterna de se relacionar que transcende o tempo.

PRINCÍPIO ESPIRITUAL: Amar os outros é a expressão visível de Deus.

SEGUNDA PARTE

Conhecendo a si mesmo

CAPÍTULO 7

Conhecendo os seus sentimentos

Naquele momento aproximaram-se de Jesus os discípulos e perguntaram: "Quem será o maior no reino dos céus?"
Jesus chamou uma criança, colocou-a no meio deles, e disse: "Em verdade vos digo, se não vos transformardes e não vos tornardes como crianças, não entrareis no reino dos céus. Pois aquele que se fizer humilde como esta criança será o maior no reino dos céus.
"E quem receber uma destas crianças em meu nome, é a mim que recebe. Mas quem fizer pecar um destes pequeninos que crêem em mim, melhor seria para ele que lhe pendurassem uma pedra ao pescoço e o jogassem no fundo do mar."

Mateus 18:1-6

Jesus ensinou que o que sentimos no coração determina quem somos. Ele falou em renascer, viver com fé e ter um coração de criança. Ele queria que fôssemos como crianças porque estas são inocentes, crédulas e abertas às suas emoções. As pessoas profundamente espiritualizadas têm consciência de suas emoções.

Jesus gostava de desafiar a maneira como as pessoas pensam. Para sermos grandes, disse ele, precisamos ser pequenos. Para sermos líderes, precisamos servir aos outros. Para sermos profundos pensadores, temos que ser capazes de sentir. Jesus ensinou que a identidade do ser humano é uma questão do coração.

Jesus amou, sentiu raiva, experimentou o medo, chorou de tristeza e viveu com coragem. Ele sabia quem era e agia motivado pelo que sentia, mesmo que isso não fizesse um sentido lógico para os outros. Nossas emoções nos fazem conhecer quem somos e nos levam a fazer as coisas que fazemos. Jesus queria que conhecêssemos a gama completa das nossas emoções.[1]

SEJA COMO AS CRIANÇAS, MAS NÃO SEJA INFANTIL

"Se não vos transformardes e não vos tornardes como crianças..."
Mateus 18:3

Algumas pessoas relutam em agir de forma emocional porque a consideram uma atitude infantil. No entanto, existe uma diferença entre ser infantil e ser como as crianças. Ser infantil é ser imaturo e recusar-se a assumir a plena responsabilidade pelas próprias ações. Ser como as crianças é assumir responsabilidade e ao mesmo tempo ser capaz de entregar-se às emoções. Jesus atribuía uma grande importância ao fato de sermos como as crianças.

Ser infantil exige pouco esforço, mas é preciso força para nos abrirmos às emoções como fazem as crianças. Jesus sempre teve uma noção muito clara dos limites e permaneceu consciente das conseqüências das suas ações, mas tinha coragem de entregar-se às suas emoções. Isso fazia com que as pessoas se sentissem próximas dele, enquanto que o seu senso de responsabilidade confiável as fazia sentir-se seguras em sua presença.

Harriet envolvera-se repetidas vezes em relacionamentos intensos e problemáticos que nunca davam certo. Sempre que alguém a desapontava, tinha explosões de raiva, embora já tivesse passado por inúmeras sessões de terapia tentando entender seus problemas com a sensação de abandono. Durante as nossas sessões, Harriet tinha dificuldade em admitir sua parte de responsabilidade em seus problemas de relacionamento, mas acusava outras pessoas, culpando-as por esses problemas.

No início, sempre que Harriet se considerava em estado de emergência emocional, ela enviava mensagens para o meu *pager*. Ficava furiosa com todo mundo, inclusive comigo, e sentia que tinha o direito de expressar a sua raiva praguejando, gritando e tendo acessos de fúria. Nossas sessões com freqüência eram repletas desse tipo de explosão. Ela acreditava que os terapeutas tinham a obrigação de lidar com esses comportamentos, pois eram uma forma desesperada de fazer com que compreendessem a profundidade da sua dor.

As explosões infantis não beneficiavam os relacionamentos de Harriet nem a ajudavam a lidar com os seus sentimentos. Ela estava convencida de que as outras pessoas não gostariam dela caso falasse a respeito do que sentia. Não falava, mas explodia. Para prevenir a rejeição que imaginava, Harriet tinha um comportamento hostil. Ela se sentia melhor quando a rejeição vinha dela.

Aos poucos Harriet foi percebendo que a sua expectativa de rejeição a impedia de receber o que precisava dos outros e começou a mudar a maneira como expressava seus sentimentos. Em vez de violentas explosões que criavam o distanciamento, Harriet começou a externar sentimentos de dor e vulnerabilidade, a falar sobre eles e a pedir ajuda, tal como faz uma criança confiante. Surpreendeu-se ao ser ouvida e acolhida. Harriet descobriu pela primeira vez na vida que quando revelava suas emoções com a sinceridade das crianças ela se tornava mais atraente. Suas tentativas corajosas de manifestar sua vulnerabilidade faziam as pessoas gostar mais dela, em vez rejeitá-la, como ela sempre temera.

O maior benefício dessa mudança foi a transformação no modo como ela se sentia a respeito de si mesma. Harriet parou de recear ser rejeitada pelos outros e começou a se considerar uma pessoa melhor.

Esse era o tipo de atitude própria das crianças a que Jesus estava se referindo. Ele recomendou que as pessoas "se tornassem como crianças" para serem mais abertas e confiantes. Por incrível que pareça, não ter medo de manifestar a própria vulnerabilidade é a forma mais poderosa de viver.

PRINCÍPIO ESPIRITUAL: Os atos infantis afastam, enquanto que as ações próprias das crianças atraem.

O PAPEL DOS SENTIMENTOS NO CRESCIMENTO

"Deixai vir a mim as criancinhas."
Lucas 18:16

Brittany, de sete anos, era uma menina difícil. Ficava freqüentemente zangada e tinha um comportamento agressivo, o que dificultava muito o seu relacionamento com as outras crianças. Mordia, chutava e arranhava qualquer pessoa que a perturbasse, e seus acessos de raiva eram exaustivos para todo mundo, inclusive para ela. Alarmados e confusos com o comportamento da filha, seus pais procuraram ajuda profissional.

Quando Paula viu Brittany pela primeira vez, soube que tinha um trabalho difícil pela frente. A menina, sentada no chão no meio do quarto, quebrava os seus brinquedos. Perguntar a Brittany por que ela estava sendo tão destrutiva era inútil, porque a menina não sabia. Estava externando sentimentos que tinha dentro de si, mas não conseguia expressar de outra maneira.

Paula compreendeu isso. Era muito claro que Brittany estava zangada, mas era mais difícil perceber que a raiva encobria o medo. Paula sentiu que precisava acolher os sentimentos de Brittany de uma maneira que fizesse a menina sentir-se segura.

Como Brittany se expressava mais fisicamente, Paula tinha que lidar com ela nesse nível. Se Brittany gritava, Paula dizia: "Estou vendo que você está muito zangada." Mas se Brittany queria arranhar ou morder, Paula a segurava com firmeza até que ela se acalmasse.

Como a menina estava ao mesmo tempo zangada *e* com medo, Paula precisava respeitar essas emoções no relacionamento das duas. Ela queria ajudar Brittany a expressar todas as emoções, não apenas a raiva.

Com o tempo, em decorrência da terapia com Paula, Brittany mudou. Socialmente, ela ainda é um tanto inábil, mas deixou de ser tão violenta quanto antes. É mais capaz agora de falar sobre seus sentimentos, de modo que tem menos necessidade de externá-los por meio de ações. Brittany aprendeu que pode expressar o seu medo e que ele pode ser bem recebido pelos outros, o que a faz sentir-se mais segura. Ela cresceu como pessoa porque consegue manifestar melhor suas emoções. A habilidade com que Paula acolheu os sentimentos de Brittany foi uma libertação para a menina. O relacionamento das duas é um exemplo do crescimento que pode acontecer quando acolhemos amorosamente todas as emoções que alguém nos traz, exatamente como Jesus fazia.

Jesus sempre recebeu bem as crianças. Ele conhecia a importância de ser receptivo à abertura delas. Hoje sabemos que o cérebro humano precisa experimentar a acolhida aos sentimentos para poder desenvolver-se adequadamente.[2]

Cada vez que uma criança é capaz de identificar um sentimento, como "Eu estou triste" ou "Eu estou feliz", ela desenvolve uma noção mais forte de quem é o "eu" que está tendo o sentimento. A criança aprende que é o seu "eu" que está tendo sentimentos tristes ou alegres e que eles não estão vindo de outra pessoa ou de outro lugar. Os pais que acolhem os sentimentos dos seus filhos estão na verdade ajudando-os a solidificar uma identidade que os conduzirá através da vida. Ajudar as crianças, e também os adultos, a identificar os seus sentimentos os ajuda a crescer.

O ardente desejo de Jesus de acolher as crianças é um modelo psicológico para nós. Ao receber com alegria a espontaneidade emocional das crianças, ele estava estimulando o crescimento delas. A sua capacidade de acolher tornou-se a marca registrada da sua presença benéfica que era sentida por todos que o encontravam.

PRINCÍPIO ESPIRITUAL: A identidade de uma criança forma-se mais no coração do que na cabeça.

O PAPEL DOS SENTIMENTOS NA NOSSA CONEXÃO COM OS OUTROS

"Felizes os puros de coração, pois verão a Deus."
Mateus 5:8 (*Living Bible*)

Jesus ensinou que as pessoas espiritualizadas relacionam-se de coração para coração. O entendimento emocional cria um vínculo. Nós nos sentimos aprovados quando os outros concordam intelectualmente conosco, e somos confortados quando eles nos protegem fisicamente, mas só nos sentimos ligados quando compartilhamos com eles experiências emocionais. Os puros de coração têm uma conexão especial com Deus não apenas porque são sinceros, mas também por causa da sua capacidade de saber claramente como se sentem.

Sandra e Ben procuraram o aconselhamento matrimonial por causa de um dos problemas mais comuns que encontro hoje nos casamentos: a comunicação emocional deficiente. Antes do casamento, ambos eram profissionais de nível superior com uma carreira de sucesso. Quando começaram a formar a família, decidiram de comum acordo que Sandra deixaria seu trabalho e ficaria em casa para cuidar das crianças. Eles estavam felizes com essa decisão, satisfeitos com o dinheiro que Ben trazia para a família e contentes com o desempenho dos filhos. O que não agüentavam mais eram as brigas constantes entre eles.

Sandra e Ben não conseguiam resolver as discussões porque não compreendiam a importância das emoções. Tanto Sandra quanto

Ben achavam que seriam capazes de negociar as divergências no relacionamento seguindo as mesmas regras que haviam usado com sucesso nas respectivas carreiras. Infelizmente, as normas do trabalho não são iguais às regras do lar. Não são os procedimentos que devem ser examinados, mas as razões que os provocam. *A maneira* como os parceiros falam um com o outro é tão importante quanto *o tema* da conversa.

Em casa, Sandra tentava conversar com Ben sobre uma preocupação que estava lhe causando um dos filhos. Ben dava uma interpretação superficial e sugeria que eles passassem a adotar uma mudança de comportamento. Esta resposta fazia Sandra se sentir menosprezada, reproduzindo uma sensação de sua infância e adolescência. Por isso, ela discordava do marido. A atitude dela, por sua vez, colocava Ben na defensiva, pois fazia-o lembrar das críticas constantes que recebera devido ao perfeccionismo do pai. Ele então defendia com mais intensidade a sua posição. Essas discussões quase sempre terminavam da mesma maneira. Um dos dois levantava as mãos desgostoso e dizia abruptamente: "Tudo bem! Então faça como você quiser!" e marchava com passos pesados para fora do quarto. Neste processo, o casamento ia se desgastando.

Finalmente Sandra e Ben chegaram à conclusão de que dar a seu relacionamento um caráter profissional não funcionava. Ser íntimos dos nossos colegas de trabalho não é importante; ser íntimos do nosso cônjuge é. A meta no trabalho é desempenhar tarefas. O objetivo em casa, além de desempenhar as tarefas domésticas, é sobretudo amar um ao outro, e a maneira de fazer isso é prestando atenção aos sentimentos mútuos.

Sandra e Ben estão se sentindo melhor hoje com relação ao casamento porque reconhecem que as emoções presentes em cada conversa são tão importantes quanto o seu conteúdo. Ben já não se sente mais tão agredido pelas exigências de Sandra porque chegou à conclusão de que estas são completamente diferentes das de seu pai. Sandra agora faz um auto-exame antes de discordar automaticamente, porque não sente mais necessidade de se afirmar. Quando começa a sentir que Ben a está menosprezando, ela consegue dizer a ele como está se sentindo e falar dos sentimentos antigos que a atitude do marido faz vir à tona. Ben se desculpa dizendo que sua intenção não era depreciá-la; ele está apenas ansioso para ajudar e às vezes se apressa em apresentar logo uma solução por causa da pressão que o pai exercia sobre ele. Sandra e Ben aprenderam uma importante verdade: a conexão entre as pessoas só é plenamente exercida quando a intimidade é vivida pela expressão clara dos sentimentos. Eles não eram capazes de experimentar a intimidade sem uma maior clareza no coração. Como Jesus previu, é preciso pureza de coração para construir um relacionamento feliz.

Jesus nunca colocou o valor intelectual acima da pureza de coração. Ele sabia que as pessoas estabelecem contato através das emoções e que as nossas divergências mais sérias não são a respeito do que pensamos, mas o resultado de como fomos emocionalmente feridos.

PRINCÍPIO ESPIRITUAL: A intimidade que vem de um coração puro é essencial no relacionamento de um casal.

O SEGREDO PARA SOBREVIVER AO SOFRIMENTO

"Não se perturbe o vosso coração. Confiai em Deus; confiai também em mim."
João 14:1

Jesus ensinou que a solução para sobreviver ao sofrimento era permanecer ligado a Deus. Se permitirmos que Deus permaneça conosco no sofrimento, por pior que este seja, podemos amadurecer e crescer durante os tempos difíceis. Qualquer coisa é tolerável se não tivermos que suportá-la sozinhos.

Rick era uma das crianças mais baixas da sua turma no colégio. Era sempre o último a ser escolhido para um time, e os meninos mais altos freqüentemente caçoavam dele. Ele tentava evitar situações em que as outras crianças pudessem ter a oportunidade de zombar dele por ser tão baixo, mas mesmo assim isso acontecia com freqüência.

Rick escapou de tornar-se uma pessoa amarga em parte devido ao seu relacionamento com Greg. Os dois formaram uma amizade especial que durou a vida inteira.

Certa vez Rick passou por uma situação humilhante, quando um valentão alto e forte o enfiou em uma lata de lixo apenas para se divertir. Sem dizer uma palavra, Greg, que estava ao lado de Rick, lançou para o amigo um olhar solidário, como se dissesse: "Deixa pra lá. Esse cara é um completo idiota." Era isso que Rick precisava, de que outra pessoa lhe desse apoio. A solidariedade de Greg tornava as coisas menos dolorosas.

Rick conseguiu superar o trauma causado pelas zombarias porque sabia que Greg sempre iria entender como ele se sentia. Hoje sua vida é melhor porque ele teve alguém com quem compartilhar os seus sentimentos durante os momentos difíceis. Jesus queria que entendêssemos que este é o segredo para sobreviver ao sofrimento.

Algumas das pessoas mais sábias que conheço sofreram muito na vida, mas o mesmo posso dizer de algumas das pessoas mais amargas que encontrei. Jesus sabia que o sofrimento pode nos tornar melhores ou mais amargos. O próprio sofrimento dele era uma parte inevitável da sua vida, e enfrentá-lo foi fundamental para a sua missão na Terra.

Jesus demonstrou com sua vida qual é a maneira de sobreviver ao sofrimento. Mesmo nos momentos mais difíceis, Jesus nunca perdeu a sua ligação com Deus. Ele não tentou passar sozinho pelo sofrimento. E é isso o que ele nos ensina.

PRINCÍPIO ESPIRITUAL: O sofrimento é tolerável se não tivermos que suportá-lo sozinhos.

POR QUE O SOFRIMENTO SE TORNA TRAUMÁTICO

"Se o demônio parte... ele volta e encontra o coração do homem limpo mas vazio! O demônio então convoca outros sete espíritos piores do que ele e todos entram no homem e nele se instalam. E a situação dele torna-se pior do que antes."
Mateus 12:43

Algumas crianças que sofreram circunstâncias extremamente difíceis tornaram-se relativamente equilibradas, ao passo que outras que passaram por um sofrimento muito menor parecem psicologicamente mais prejudicadas. A explicação está na diferença entre dano psicológico e trauma psicológico.

O dano psicológico é aquele que sofremos quando somos atingidos emocionalmente. Isso acontece com todos nós. As pessoas que nos criaram podem deixar de satisfazer de maneira significativa algumas de nossas necessidades, e podemos também ser expostos a circunstâncias cruéis, ou agredidos por alguém de um modo que nos magoe profundamente.

O trauma psicológico acontece quando ninguém está presente para nos dar apoio e nos ajudar a compreender os danos que sofremos. Os danos psicológicos podem causar traumas que nos deixam com a impressão de sermos fracos, incompetentes, defeituosos e perseguidos. Um evento doloroso torna-se traumático quando adquire um significado negativo a respeito de quem somos. Os eventos traumáticos do passado podem transformar-se em demônios que nos perseguem a vida inteira. Ter a presença de uma pessoa que se mostre receptiva à nossa dor faz toda a diferença do mundo. Jesus sabia que precisamos da ajuda dos outros quando somos magoados para evitar que os demônios voltem a nos ferir ainda mais.

Candice é uma mulher atraente e inteligente. Quem olha para ela não imagina que tenha passado por uma experiência que modificou a sua vida. Quando era adolescente, ela foi estuprada quando voltava da casa de uma amiga. Foi o acontecimento mais terrível da sua vida. Se pudesse, ela o apagaria da memória.

Antes de fazer terapia, Candice nunca havia falado detalhadamente sobre o estupro. Contara aos pais o que tinha acontecido naquela noite, eles deram queixa na polícia e tudo ficou por isso mesmo. Ela não procurou ajuda terapêutica e seus pais acharam que falar sobre o assunto iria humilhá-la ainda mais, de modo que nunca mais o trouxeram à baila.

Candice tem problemas ao relacionar-se intimamente com os homens por causa do estupro. Fica tensa quando pensa em ter um contato sexual com um homem e sente medo quando está perto de homens fortes e dinâmicos. Com a terapia, ela acabou descobrindo que não é bom guardar para si certos segredos.

Candice caiu na armadilha na qual sucumbem muitos sobreviventes de estupro. Ela não conseguia parar de pensar: "Se ao menos eu tivesse pedido uma carona naquela noite", "O vestido que eu estava usando chamava muita atenção" ou "Como posso ter sido tão idiota?" Candice estava se culpando. Este procedimento transformou o dano que sofrera em um trauma duradouro.

Talvez se ela tivesse sido capaz de conversar com alguém, seu segredo não tivesse sido tão nocivo. Outra pessoa poderia tê-la ajudado a ver que seus sentimentos não eram anormais e que ela não era responsável pelo que acontecera. Se Candice tivesse recebido ajuda para lidar com seus sentimentos, esse terrível acontecimento talvez não tivesse se transformado em um trauma permanente que a fazia sentir-se tão mal com relação a si mesma. Os demônios adoram trabalhar em segredo, mas fogem quando são forçados a se tornar visíveis.

Candice está começando a sentir-se menos amedrontada na presença dos homens, porque está trabalhando os seus sentimentos na terapia. Fechar a porta para os danos do passado não mantinha os demônios à distância, mas permitir que seu terapeuta percorra com ela os lugares escuros e ocultos está conseguindo afastá-los.

Jesus sabia que todos sofremos danos, mas não temos que viver traumatizados por causa deles. Ele acreditava que, se compartilharmos o fardo das ofensas que recebemos com alguém em quem confiamos, poderemos evitar que elas se transformem em trauma. O tempo por si só não é capaz de curar. Se não procurarmos ajuda, os demônios do passado ficarão presentes.

PRINCÍPIO ESPIRITUAL: O tempo por si só não é capaz de curar.

OS SERES HUMANOS GOSTAM DE RACIONALIZAR

"O coração do homem determina as suas palavras."
Mateus 12:34 (*Living Bible*)

Christopher acha que as emoções são sinal de fraqueza. Sua mãe lutou contra a depressão quando ele era criança, e seu pai freqüentemente o castigava com raiva. Ele jurou que nunca seria como eles. A mulher de Christopher pediu o divórcio após quatro anos de casamento porque "suas necessidades emocionais não estavam sendo satisfeitas", o que o deixou ainda mais convencido de que as pessoas que vivem com base nas emoções acabam destruindo tudo à sua volta.

Christopher acredita que as pessoas racionais são de confiança e as pessoas emocionais são fracas e patéticas. Considera que seu único erro no casamento foi não ter percebido antes como sua esposa era emocional.

O que Christopher não percebe é que a sua conclusão a respeito das emoções está profundamente ligada ao que sofreu na infância. Por este motivo, ele não foi capaz de criar uma intimidade emocional com a mulher, o que fez com que o casamento acabasse muito antes de ela deixá-lo. A sua insistência em afirmar que o fato de ela ser "excessivamente emocional" tinha sido a causa do divórcio foi na verdade uma racionalização que ele usou para defender-se.

Christopher tinha um medo enorme de que a mulher o magoasse depois de toda a dor que os seus pais haviam lhe causado. O problema não era o fato de a sua mulher ser emocional demais, mas de ele depreciar e negar as emoções.

Christopher possui um argumento racional para explicar como as emoções arruinaram a sua vida. O que não percebe é o papel que ele próprio desempenhou na destruição do casamento. Apesar de achar que sua decisão de evitar as emoções era racional, foi uma decisão puramente emocional. E como ele não tem consciência disso, fica sujeito ao poder destrutivo de uma emoção não controlada.

As agências de publicidade, os políticos, os profissionais da área de vendas – todas as pessoas que lidam com a maneira como tomamos decisões – sabem que os impulsos, os desejos e os sentimentos são as verdadeiras motivações por trás do nosso processo de tomada de decisões. Freqüentemente pensamos estar sendo objetivos e racionais para emprestar maior credibilidade às nossas conclusões. Mas a verdade é que seguimos o coração nas conclusões a que chegamos, mesmo quando insistimos em negar isso.

Jesus freqüentemente seguia a paixão do seu coração, mesmo quando ela não fazia nenhum sentido lógico para aqueles que o cercavam. Quando decidiu escolher um grupo de discípulos para o seu círculo mais chegado de amigos, o seu principal critério não foi a educação e nem mesmo a inteligência. Ele preferiu aqueles capazes de "entender com o coração". Jesus não tentou mudar o mundo com uma nova filosofia ou um melhor conjunto de princípios espirituais que pudessem ser ensinados de modo acadêmico. Ele sabia que o Reino de Deus seria difundido pelo impacto do que as pessoas sentiam no coração.

PRINCÍPIO ESPIRITUAL: Justificamos na mente o que decidimos no coração.

CAPÍTULO 8

Conhecendo o seu inconsciente

"A vós foi dado conhecer os mistérios do reino dos céus, mas a eles não. A quem tem será dado, e terá em abundância; mas de quem não tem, até mesmo o que tem será tirado. Eis por que lhes falo em parábolas: para que, olhando, não vejam e, ouvindo, não escutem nem compreendam. E neles se cumpra a profecia de Isaías, que diz: 'Ouvireis com os ouvidos e não entendereis, olhareis com os olhos e não vereis.'"

Mateus 13:11-14

Podemos olhar diretamente para as pessoas sem vê-las, ou ouvir as pessoas falarem, mas não escutá-las. Jesus sabia que forças fora da nossa percepção consciente atuam na nossa mente, freqüentemente impedindo que lidemos com as coisas que estão bem na nossa frente. Ele conhecia este aspecto da mente humana que hoje chamamos de inconsciente.

O inconsciente é uma maneira de descrever o modo como a mente filtra o pensamento. É o jeito que a nossa mente tem de evitar que pensemos a respeito de tudo de uma vez só. Como não podemos lidar com tudo de uma única vez, não podemos estar plenamente conscientes de *tudo* o que se passa na nossa mente em um determinado momento. O problema não é o fato de a nossa mente operar inconscientemente e sim de não termos consciência disso.

Trabalhamos os nossos assuntos inacabados no inconsciente. Questões problemáticas ou não resolvidas do passado ficam armazenadas no inconsciente e são freqüentemente revisitadas. Sem perceber, ficamos repetindo o passado na tentativa de corrigi-lo. Por isso é importante conhecer o inconsciente. Sem essa percepção, "estaremos sempre ouvindo, mas nunca entendendo", porque algumas coisas muito importantes que precisamos compreender estão ocultas no nosso inconsciente.[1]

SOMOS CRIATURAS DE HÁBITOS

"...vós vos apegais às tradições dos homens."
Marcos 7:8

Miguel concordou em procurar o aconselhamento conjugal com Adrienne após anos de insistência da parte dela. Adrienne queixava-se de que Miguel era muito exigente e crítico. Ele só se dispôs a vir às sessões para agradá-la. Ambos encaravam o próprio casamento como "tradicional", porque apenas Miguel trabalhava fora e Adrienne havia optado por ficar em casa com as crianças. Adrienne estava contente com essa situação, mas se ressentia com a atitude controladora de Miguel. Parecia que ele queria impor a ela e às crianças a forma de viver com que fora criado, e Adrienne estava achando o jeito do marido autoritário e humilhante.

– Meus pais estão juntos há cinqüenta anos, o que é mais tempo do que eu vejo na maioria dos casais – proclamou Miguel. – O que há de errado em tentar seguir o exemplo deles?

– Você está se esquecendo dos problemas que havia quando você morava com eles, Miguel – retrucou Adrienne. – Tudo não era tão perfeito na sua família.

Depois de algumas sessões, Miguel admitiu que, embora respeitasse o pai, reconhecia que fora importante rebelar-se contra o poder que ele exercia na família. "De fato, ele era duro comigo. Mas aquela era a única maneira de me fazer aprender", insistiu ele. O pai de Miguel era partidário do castigo corporal e freqüentemente batia no filho com um cinto. A triste conseqüência que essa atitude teve em Miguel foi fazer com que ele tirasse uma conclusão inconsciente a respeito da autoridade de um pai: para que um homem seja respeitado em casa, ele precisa ser temido pelas pessoas que vivem com ele.

Miguel estava seguindo o exemplo autoritário do pai, sem se dar conta de que odiara viver daquela maneira. Sem perceber, Miguel tinha medo de perder o respeito da mulher e dos filhos caso não adotasse uma postura dominadora com relação a eles. Inconscientemente, o respeito e o medo confundiram-se, o que o levou a acreditar que precisava dominar os membros da família para não ser um fracasso como marido e pai.

Miguel está começando a aceitar que as tradições que estava tentando seguir tinham origem em fatos do passado que o fizeram sofrer. Ele consegue ver agora que a imposição de seu ponto de vista sobre a maneira como a família tinha que ser administrada não dava espaço para o modo como Adrienne pensava e lidava com os filhos. Percebeu o preço que todos eles estavam pagando por isso. Miguel já não vive mais seu papel de pai e marido baseado no medo, e Adrienne finalmente está começando a sentir que a sua opinião é respeitada. Miguel precisava compreender que seguir inconscientemente as tradições pode ser perigoso, e a percepção de que estava preso a crenças geradas pelas experiências de infância o está ajudando a libertar-se.

Somos criaturas de hábitos. Encontramos segurança nas nossas rotinas e identidade nas nossas tradições. Alguns hábitos são bons e Jesus recomendou que seguíssemos certas tradições para nos relacionarmos melhor uns com os outros e com Deus. Ele sabia que precisamos de gestos concretos para expressar o amor nos nossos relacionamentos.

O problema surge quando ficamos presos inconscientemente aos hábitos, porque esta atitude nos faz repetir atividades do passado sem que nos apercebamos disso. Jesus não queria que as pessoas seguissem hábitos e tradições sem estar conscientes das razões pelas quais faziam assim. Seguir tradições pode ser benéfico, mas aderir inconscientemente a elas pode trazer prejuízos.

Jesus nos disse que tomássemos cuidado ao nos prendermos às tradições, não por elas serem más, mas porque com freqüência as repetimos inconscientemente. A questão não é *se temos ou não* tradições familiares e sim *por que* as temos. Se as nossas tradições são fator de crescimento para a nossa família, elas são boas, mas, se acontece o contrário, precisamos prestar atenção à advertência de Jesus.

PRINCÍPIO ESPIRITUAL: Os hábitos fundamentados no medo corrompem as tradições baseadas no respeito.

NÃO TENHA TANTA CERTEZA DE SI MESMO

"Mas a vossa culpa permanece porque afirmais saber o que estais fazendo."
João 9:41

Pensamentos inconscientes são experimentados como fatos. Como não sabemos que algo é inconsciente, temos *certeza* de que é verdadeiro. Quando vivemos baseados em pensamentos e sentimentos inconscientes, achamos que sabemos o que estamos fazendo, mas a verdade é que desconhecemos as razões que nos levam a agir de determinada forma. Jesus nunca pediu às pessoas que estivessem absolutamente *certas* com relação a si mesmas; ele pedia que elas *refletissem* a respeito de si mesmas.

Conheci Tommy em um orfanato de meninos. Embora só tivesse 17 anos, tinha algumas idéias bem definidas a respeito da vida. Ele não confiava em ninguém e não esperava nada de ninguém. Roubava se achasse que conseguiria se safar, mentia descaradamente e nunca exibia qualquer sinal de remorso quando era apanhado. Tommy se achava muito esperto e estava convencido de que todo mundo era idiota.

Não havia meio de convencer Tommy de que seu ponto de vista estava distorcido. Ele fora muito cedo afastado da mãe e nunca conhecera o pai. O fato de ter passado por vários orfanatos tornara a sua vida muito instável e o deixara convicto de que nada é certo na vida e que ninguém é de confiança. "Não importa o que as pessoas digam, elas só pensam nelas mesmas", afirmava Tommy. "As pessoas não valem nada." Este era o seu lema.

Era difícil ajudar Tommy. Ele não tinha interesse em ser ajudado, pois estava absolutamente certo de que a sua avaliação das pessoas era correta. Confiar nos outros significava ser "trouxa", e o fato de conseguir enganar as pessoas apenas provava que ele era mais esperto.

O que Tommy não conseguia entender era que ele estava dominado por convicções inconscientes. Inconscientemente acreditava que não valia nada, o que o tornava extremamente agressivo e irresponsável. Como nunca tinham cuidado dele da maneira como precisava, chegara à conclusão inconsciente de que não *merecia* esses cuidados. Mas como essa convicção era inconsciente, ele a experimentava como um fato verdadeiro. Quem tem *certeza* de que é inútil não tem nada a perder. Tommy estava convicto de que nada poderia ajudá-lo e queria manter as pessoas à distância para evitar a dor de ser visto como o inútil que ele próprio se considerava.

Infelizmente, as pessoas que têm idéias negativas inconscientes a respeito de si mesmas acham que essas idéias refletem "exatamente a maneira como elas são". Em casos como o de Tommy, os resultados podem ser devastadores. Ele passou a adolescência envolvido em comportamentos autodestrutivos que só reforçavam o conceito que tinha de si mesmo. As coisas só mudaram quando Tommy começou a compreender que não eram os outros que o desvalorizavam, fazendo-o agir destrutivamente. Era ele mesmo que inconscientemente se desvalorizava e por isso precisava lutar contra esse sentimento. Quando através da terapia ele se convenceu, passou a aceitar-se melhor, a não rejeitar os outros e a mudar seu comportamento.

Pessoas como Tommy agem como se tivessem convicção absoluta de que estão certas. Jesus freqüentemente desafiava aqueles que tinham essa maneira rígida de pensar, exortando-os a serem mais flexíveis. Ele sabia que quando as pessoas têm um raciocínio muito inflexível, elas freqüentemente deixam de perceber verdades importantes a respeito dos outros e muitas vezes também a respeito de si mesmas.

PRINCÍPIO ESPIRITUAL: Se você pensa rigidamente que está certo, reveja seu pensamento.

A CURA ACONTECE DE DENTRO PARA FORA

"Limpa primeiro o interior do copo e depois todo o copo ficará limpo."
Mateus 23:26

Marty sofre de ataques de pânico. Quando o ataque é violento, ela acha que está tendo um ataque do coração e que vai morrer. O coração dispara, ela não consegue respirar, começa a suar profusamente e seus joelhos ficam fracos.

Marty tenta controlar os ataques de pânico, mas sem sucesso. A caminho do meu consultório, ela repete para si mesma que não vai deixar que isso aconteça de novo. Mas acaba inevitavelmente pegando um sinal vermelho, caindo em uma pista sem saída ou levando uma cortada de outro motorista. Qualquer uma dessas coisas faz Marty sentir ansiedade e aí começam seus problemas. Assim que fica ansiosa, ela tenta se livrar da ansiedade, o que só faz torná-la mais ansiosa. O temor de ter um ataque de pânico aumenta a ansiedade. Suas tentativas de controlar-se geralmente resultam em uma sobrecarga no sistema, ou num ataque de pânico. São as próprias tentativas de controlar os ataques que dão origem a eles.

O problema de Marty era que ela estava tentando corrigir o seu problema "de fora para dentro". Em outras palavras, ela se concentrava no seu comportamento e não nas suas convicções. Ao tentar controlar o seu comportamento (a ansiedade), ela apenas confirmava as suas convicções (a ansiedade é perigosa). Marty começou a receber ajuda quando compreendeu que a cura se processa "de dentro para fora". Foi preciso primeiro entender que inconscientemente ela acreditava que toda ansiedade é perigosa e causa ataques de pânico. Quando esta noção tornou-se consciente, ela abriu-se para a possibilidade de que sua *convicção* não fosse necessariamente verdadeira. Na vez seguinte em que uma ocorrência a deixou ansiosa, Marty conscientemente pensou que era normal se sentir assim ante uma situação tensa e que não precisava controlar a ansiedade. Ela aprendeu que, se não piorarmos a ansiedade ao tentar controlá-la, ela pode passar naturalmente.

No nível mais profundo, todos nós vivemos em função das convicções armazenadas no inconsciente. Elas guiam automaticamente o nosso comportamento sem que o percebamos. Quando essas convicções são negativas, nosso comportamento, com freqüência, é autodestrutivo. Tomar consciência dessas convicções inconscientes é a única maneira de modificar o comportamento externo de uma forma duradoura.

Jesus sabia que o único modo de mudar o comportamento externo das pessoas era modificando o que elas acreditam interiormente. A não ser que sejamos capazes de ter acesso às nossas profundezas, estamos destinados a viver uma vida influenciada pelas marcas do passado. Mudanças no comportamento ou na aparência externa têm pouca probabilidade de durar se não descobrirmos os motivos enterrados na profundidade do nosso ser. Foi por esse motivo que Jesus nos disse para limpar primeiro o interior do copo.

PRINCÍPIO ESPIRITUAL: A mudança duradoura acontece de dentro para fora.

O QUE NÃO SABEMOS PODE NOS FERIR

"Todo reino dividido contra si mesmo será destruído e toda cidade ou família dividida contra si mesma não subsistirá."
Mateus 12:25

Darlene veio fazer terapia para trabalhar os seus relacionamentos com os homens. Ela desejava ardentemente encontrar um companheiro para poder se casar e ter filhos, mas apesar de estar no meio da casa dos trinta nunca tivera um envolvimento romântico com um homem. "Meu maior problema", confessou-me ela, "é que eu me acho feia."

Fiquei um pouco surpreso com a declaração de Darlene, pois eu a considerava uma moça atraente e sempre preocupada com a própria aparência. Ela passou a descrever o seu doloroso constrangimento na presença dos homens e os sentimentos embaraçosos com os quais tinha que lidar sempre que pensava em se envolver romanticamente.

– Eu sei que não sou burra e que às vezes a minha conversa é interessante. Mas não consigo deixar de pensar que qualquer homem por quem eu pudesse me interessar me acharia fisicamente repulsiva. Tenho certeza de que deve haver algum cara que tenha vontade de fazer sexo comigo, mas acho que nenhum homem que eu considere *realmente* atraente também se sentiria atraído por mim.

Darlene cresceu com um pai que dificultava a sua vida. Ela nunca sabia o que esperar quando voltava para casa depois da escola. O pai era geralmente rude e agressivo com Darlene e com a mãe dela quando bebia, o que freqüentemente fazia a adolescente ter vontade de se tornar invisível. Se pudesse, ela trocaria de vida com qualquer pessoa no planeta.

Infelizmente, a mãe de Darlene pouco podia ajudá-la. Era uma mulher passiva e incapaz de controlar o marido ou de proteger a filha das explosões dele. Darlene vacilava entre esperar que um dia seu pai notasse que ela era uma boa pessoa e parasse de maltratá-la e desejar que ele morresse. Nenhuma dessas duas esperanças, no entanto, fazia Darlene sentir-se bem a respeito de si mesma. Este processo desenvolveu nela a convicção inconsciente de que o pai não a valorizava o suficiente para mudar de comportamento, e ela começou a sentir ódio dele. Este ódio do pai e o desejo que ele morresse davam-lhe a impressão de ser uma pessoa feia por dentro.

Darlene estava envolvida num conflito entre suas convicções inconscientes a respeito de si mesma e sua vida consciente do dia-a-dia. Inconscientemente, ela acreditava que era uma pessoa feia que não valia grande coisa, embora conscientemente soubesse que a sua vida agora era diferente. Somente quando se deu conta de que se achava feia por causa do ódio que sentia pelo pai é que Darlene conseguiu ver-se tal como a mulher atraente que de fato era. Ela ainda se lembrava, com raiva, da maneira como ele a tratava quando criança, mas pôde começar a acreditar que não era necessariamente uma pessoa feia por sentir-se assim.

Estamos continuamente transferindo as nossas convicções inconscientes baseadas nas experiências passadas para o mundo que nos cerca hoje, observando constantemente o presente através do filtro inconsciente do nosso passado. Geralmente não sabemos que estamos fazendo isso, porque o fazemos automaticamente. A única maneira pela qual podemos abrir espaço para experiências novas é tomando consciência de como estamos projetando essas antigas convicções no nosso mundo de hoje.

O fato de não termos consciência de uma coisa não significa que ela não possa nos prejudicar. Nossa realidade atual nos diz uma coisa, mas as nossas convicções inconscientes nos dizem outra. Infelizmente, o inconsciente geralmente sai vencedor. Esta é freqüentemente a origem dos problemas psicológicos da nossa vida que podem ter conseqüências perniciosas.

Jesus exortou-nos a ser mais conscientes. Esta consciência é a solução para resolver uma "família dividida". Quando acreditamos inconscientemente em uma coisa que está em conflito com o que pensamos conscientemente, travamos uma batalha com nós mesmos e ficamos "divididos". Jesus quer que tomemos consciência das convicções que nos dividem para sermos inteiros.

PRINCÍPIO ESPIRITUAL: Não podemos vencer uma luta contra nós mesmos.

CURANDO O ÓDIO

"Por que te preocupas com o cisco no olho do teu irmão quando tens uma trave no teu?"
Mateus 7:3

Odiamos nos outros o que não conseguimos suportar em nós mesmos. Uma das perguntas que me fazem de tempos em tempos é a seguinte: "Como posso saber o que existe no meu inconsciente que pode estar me prejudicando?" Para responder a esta pergunta, digo às pessoas que pensem a respeito de tudo que elas não gostam nos outros. A seguir, peço-lhes para fazer uma lista das cinco coisas que mais detestam nas pessoas que as cercam. É provável que essas cinco coisas estejam enterradas em um lugar profundo que os analistas junguianos chamam de o "lado da sombra" do inconsciente.

O ódio de Bill com relação à imoralidade na indústria do cinema é tão intenso que ninguém ousa entabular uma conversa com ele sobre o assunto. Para Bill, a pureza sexual tornou-se a prova da verdadeira espiritualidade na nossa época, e ao não reconhecer este fato Hollywood sujeitou-se ao mal. Bill chama os atores que trabalham em filmes sexualmente provocantes de "imorais" ou "transviados" e insiste em afirmar que eles não têm caráter porque se deixaram filmar perto de pessoas seminuas.

Susan, sua filha de 13 anos, tem medo de pedir ao pai para ir ao cinema, temendo tornar-se também objeto da ira de Bill. Como a maioria das crianças da sua idade, Susan admira muitos atores e, ao contrário do pai, não considera os filmes deles tão censuráveis.

Bill acha que as pessoas que produzem filmes com cenas de sexo estão apenas tentando controlar os outros por meio dos seus sentimentos sexuais e que qualquer pessoa que pague para assistir a esses filmes está sucumbindo a desejos nocivos. Susan quer sentir-se tão normal quanto os amigos, não apenas a respeito de sua sexualidade como também da sua vontade de ir ao cinema. Mas a reação do pai não só ao sexo nos filmes como também às pessoas que trabalham na indústria do cinema parece afastá-la mais dele. Susan não ousa falar sobre seus sentimentos, justamente no momento da vida em que mais precisaria abrir-se com o pai. Ela gostaria de conversar com o pai a respeito de assuntos sexuais, mas não tem coragem.

Bill não consegue perceber que o seu ódio aos atores que ele acredita estarem tentando controlar os outros por meio do sexo é na verdade uma maneira de ele próprio exercer o controle. Bill luta em segredo com fantasias sexuais e sente raiva de si mesmo por freqüentemente ceder a elas. No decorrer dos anos, ele chegou à conclusão de que a única maneira de controlar a sua atração pela pornografia é odiando os sentimentos de luxúria que ela estimula nele. Ele se sente de tal modo controlado interiormente por esses sentimentos que tenta desesperadamente controlar todas as pessoas externas. Além de não funcionar, essa forma de controlar as fantasias sexuais está criando um distanciamento entre ele e a filha. Bill precisa parar de concentrar-se tanto na sua censura ao sexo na indústria do cinema e começar a examinar mais o que se passa com ele.

Jesus parecia compreender que quando nos descobrimos odiando alguma coisa nos outros devemos parar e verificar se temos algo parecido em nós. Condenar os outros por um defeito contra o qual lutamos em nós mesmos é como preocupar-nos com o "cisco" nos olhos de uma pessoa, a respeito do qual nada podemos fazer, enquanto temos uma "trave" no olho que requer uma atenção imediata. Às vezes, a cura do nosso ódio pelas outras pessoas começa com um exame sincero do que guardamos no inconsciente.

PRINCÍPIO ESPIRITUAL: O ódio aos outros freqüentemente é sintoma de uma ferida interna em nós mesmos.

A HISTÓRIA SE REPETE, A NÃO SER . . .

"Como poderá alguém entrar na casa de um homem forte e roubar os seus haveres se antes não o tiver amarrado?"
Mateus 12:29

Quando fui fazer terapia pela primeira vez, eu sabia que meu principal problema era o meu relacionamento com o meu pai. Eu estava constantemente em conflito com ele e ressentia-me da maneira como havia sido tratado na infância e na adolescência. Eu raramente tinha contato com meu pai depois de adulto e encurtara as minhas visitas à casa dele durante as festas para evitar que acabássemos tendo uma das nossas típicas brigas sem sentido.

Lembro-me de uma sessão na qual eu estava explicando ao meu terapeuta como a minha infância tinha sido horrível. "Era uma síndrome de 'chutar o cachorro'" – expliquei. "Ele tinha um dia difícil no trabalho, voltava para casa e descarregava a raiva em cima de nós. Como eu era a pessoa que mais falava na família, bastavam algum minutos para que ele começasse a gritar comigo por alguma coisa."

Para enfatizar o que eu estava querendo dizer, descrevi a ocasião em que eu tinha 18 anos e havia secretamente cronometrado o discurso do meu pai a respeito do comprimento do meu cabelo. "Eu sabia que a coisa ia ser difícil naquele dia, de modo que fiquei olhando para o meu relógio. Duas horas e meia depois ele ainda estava gritando comigo, sem que eu tivesse dito uma palavra. Você consegue acreditar? Duas horas gritando sem nenhuma provocação da minha parte? Nunca me esquecerei do que o meu terapeuta disse. "Talvez ele tenha amado muito você." "O quê?", perguntei boquiaberto. "Claro", prosseguiu ele. "Que outro motivo seu pai teria para gastar toda aquela energia tentando corrigir você? Não acho que ele estava brigando *com* você; ele estava lutando *por* você da melhor maneira que sabia."

Eu nunca tinha pensado naquilo daquele jeito. Lembro-me de ter sentido que o meu terapeuta tinha entrado em um dos armários mais escuros da minha casa psicológica e derrubado no chão um monstro com o qual eu não conseguia lidar. Até aquele momento eu só tinha olhado para a raiva do meu pai de uma determinada maneira, achando que ele me desvalorizava. Mas talvez ele estivesse zangado comigo porque queria que minha vida fosse melhor. Do seu jeito desajeitado, talvez meu pai estivesse tentando fazer com que eu olhasse para coisas que ele considerava importantes.

A história com o meu pai se repetia todas as vezes em que estávamos juntos, porque eu interpretava a raiva dele exatamente da mesma maneira. O meu terapeuta fez com que uma janela de oportunidade se abrisse e me ajudasse a romper o ciclo. Depois desse dia continuei a sentir-me tentado a ter as mesmas antigas discussões com o meu pai, mas de um jeito um pouco diferente. Como eu me tornara mais consciente da maneira inconsciente pela qual interpretava a raiva dele como uma rejeição, comecei a perceber que eu poderia ser capaz de vê-la como uma outra coisa. O nosso relacionamento não foi magicamente restaurado a partir dali, mas melhorou bastante.

Jesus sabia que nós não *temos* que ser condenados a repetir a mesma história, mas esta se repetirá enquanto não recebermos ajuda dos outros. Precisamos do ponto de vista dos outros a fim de verdadeiramente compreender a nós mesmos. Podemos então optar por viver uma vida nova e diferente, porque estamos mais conscientes das influências inconscientes que estão determinando nossos comportamentos e nossa vida.

A missão espiritual que guiou a vida de Jesus resultou em benefícios psicológicos para todos os que tiveram contato com ele. Hoje em dia chamamos isso de psicoterapia. Na vida de Jesus, era simplesmente sua maneira de ser. As pessoas tomam consciência de seus mecanismos inconscientes com a ajuda de outra pessoa. Às vezes, o "homem forte" que precisamos que outra pessoa nos ajude a amarrar é a nossa parte inconsciente.

PRINCÍPIO ESPIRITUAL: A mudança nos pontos de vista tem o poder de mudar a história.

CAPÍTULO 9

Conhecendo a verdadeira humildade

Jesus contou também a seguinte parábola para alguns que confiavam em si mesmos, tendo-se por justos e desprezando os outros: "Dois homens subiram ao Templo para rezar; um era fariseu, o outro, um cobrador de impostos. O fariseu rezava, em pé, desta maneira: 'Ó Deus, eu te agradeço por não ser como os outros homens, que são ladrões, injustos, adúlteros, nem mesmo como este cobrador de impostos. Jejuo duas vezes por semana, pago o dízimo de tudo que possuo.'
Mas o cobrador de impostos, parado à distância, nem se atrevia a levantar os olhos para o céu. Batia no peito, dizendo: 'Ó Deus, tem piedade de mim, pecador!'
Eu vos digo: Este voltou justificado para casa e não aquele. Porque todo aquele que se enaltece será humilhado e quem se humilha será exaltado."

Lucas: 18:9-14

Jesus criticava o amor-próprio excessivo porque acreditava que as pessoas que aceitam depender de Deus e abrem mão da auto-suficiência alcançam a plenitude. É preciso humildade para reconhecer que não somos Deus e saber que precisamos nos relacionar com ele para sermos espiritualmente completos. Essa mesma humildade nos permite compreender que também necessitamos dos outros para sermos emocionalmente completos. Deixamos de ser humildes e fingimos ser superiores aos outros quando sentimos medo de admitir que temos necessidade deles.

A tendência atual da psicologia também reconhece a importância de dependermos dos outros. Não somos unidades auto-suficientes e sim seres interligados.[1]

O ponto de partida para a plenitude espiritual e psicológica é a nossa necessidade de ter um relacionamento com algo maior do que nós mesmos. A dependência saudável nos relacionamentos produz pessoas saudáveis. Precisar dos outros nos torna mais fortes e não carentes. Os seguidores de Jesus nunca se consideravam melhores do que as outras pessoas pelo fato de precisarem delas para serem completos. Ao contrário dos fariseus, temos que agradecer a Deus por *sermos* como as outras pessoas, porque isso nos coloca no caminho para conhecer a plenitude.

A GUERRA ENTRE A PSICOLOGIA E A RELIGIÃO

"Para alguns que confiavam em si mesmos, tendo-se por justos e desprezando os outros..."
Lucas 18:9

Várias pessoas religiosas têm me procurado no decorrer dos anos para fazer terapia. Em determinados casos, precisei ser muito cuidadoso devido ao preconceito delas contra a psicologia, mas acabei descobrindo algumas abordagens bastante proveitosas. Por desejar compartilhar o que aprendera com outros profissionais, escrevi um artigo e submeti-o a uma famosa revista técnica na área da psicoterapia.

Fiquei consternado ao ser informado que o artigo tinha sido rejeitado. O editor da publicação incluiu na carta que me enviou os comentários da pessoa que fez a análise do meu artigo. Fiquei surpreso com os comentários, que eram concisos, hostis e extremamente pejorativos. No final da análise, em que apaixonadamente argumentava que o assunto em questão não era adequado a uma revista de psicologia, as frases estavam incompletas evidenciando a raiva de quem escrevera. Ficou claro para mim que ele não tinha terminado de ler o meu artigo porque várias das suas objeções haviam sido respondidas na parte final do meu texto.

Eu escrevera o artigo para ajudar os psicoterapeutas a entender os preconceitos dos pacientes religiosos. No entanto, vários psicoterapeutas também estão precisando de ajuda com relação aos seus próprios preconceitos contra a religião. A necessidade de menosprezar aqueles que não compreendemos decorre de um amor-próprio excessivo que prejudica a nossa própria saúde espiritual e psicológica. O fato de o meu artigo ter sido rejeitado é irônico se levarmos em conta seu tema central: podemos ser dogmáticos com relação à religião ou à psicologia, mas ao nos considerarmos superiores aos outros e ao achar que não precisamos do que eles têm a nos oferecer estamos causando um dano a nós mesmos. Meu artigo acabou sendo publicado em uma revista de psicologia conhecida por interessar-se tanto pela psicologia quanto pela religião. No entanto, não consegui deixar de pensar que os leitores da primeira revista talvez fossem os que mais precisassem ler o que eu estava tentando dizer.

O que Jesus criticava como excesso de amor-próprio a psicologia chama de narcisismo, que acontece quando a pessoa tem uma visão grandiosa de si mesma para defender-se das próprias imperfeições. O narcisismo prejudica o relacionamento com os outros e cria uma barreira tanto para a saúde espiritual quanto para a psicológica.

Algumas pessoas não acreditam que a psicologia e a religião sejam compatíveis, chegando ao ponto de descrever as divergências entre elas como uma "guerra". Quando a psicologia é excessivamente narcisista e não admite que a religião tenha alguma coisa a oferecer para o entendimento do comportamento humano, ela é culpada de um excesso de amor-próprio. Quando a religião tem um amor-próprio exagerado e não admite que a psicologia tenha algo a oferecer para o entendimento do coração e da mente humana, ela é culpada de narcisismo. Aqueles que são suficientemente humildes para admitir que podem aprender com os outros sem os desprezarem estão no caminho da saúde psicológica e espiritual à qual Jesus se referiu.

PRINCÍPIO ESPIRITUAL: A arrogância que nos leva a acreditar que somos superiores aos outros tem origem no medo de sermos inferiores.

JESUS PREGOU RELACIONAMENTOS E NÃO REGRAS

"Todos saberão que sois meus discípulos se vos amardes uns aos outros."
João 13:35

Jack veio fazer terapia porque havia prometido a si mesmo que se perdesse a paciência e quebrasse de novo alguma coisa procuraria ajuda profissional. Ele sempre cumpre suas promessas. Na verdade, não acredita que a raiva que sente seja um problema; ele apenas acha que a maioria das pessoas tem um comportamento muito condescendente, o que ele considera extremamente irritante. Jack sempre tenta fazer a coisa certa. Por que não deveria esperar o mesmo de todas as outras pessoas? Jack sente que tem o direito de ficar zangado quando os outros o desapontam.

No início, ele teve dificuldade com a terapia porque fazia questão de seguir regras. Queria saber como devíamos começar as sessões, ou seja, se tínhamos que retomar as coisas do ponto onde havíamos parado na última vez e exatamente sobre que tipo de coisas devíamos conversar. Jack acreditava que as pessoas boas seguem as regras, e as más estragam tudo. Por esse motivo ele tentava seguir religiosamente as regras em todos os aspectos da sua vida.

Ele levou bastante tempo para entender que tanto na terapia de boa qualidade quanto na religião de bom nível as regras só existem e são usadas para favorecer melhores relacionamentos. Não existe nenhum mérito em seguir regras só pelo fato de serem regras. Jack não compreendia isso. Para ele o simples fato de uma pessoa seguir rigidamente as regras indicava a qualidade da pessoa, e por isso ele se enraivecia quando as regras não eram obedecidas ao pé da letra. Ele rejeitava a idéia de que uma pessoa boa talvez tivesse às vezes que sacrificar algumas regras para preservar seus relacionamentos com os outros, pois as considerava mais importantes do que os relacionamentos.

Jack começou aos poucos a perceber que o relacionamento que tinha comigo o estava ajudando, apesar de eu não seguir o que ele imaginara como sendo as regras da terapia. No início, ele se aborreceu comigo, mas acabou concluindo que poderia ser de algum modo beneficiado por eu compreendê-lo. Jack começou a sentir a minha importância por eu ser quem era e não por eu ter um desempenho à altura do que ele esperava. Foi uma grande libertação quando Jack descobriu que era isso exatamente o que ele queria sentir por si mesmo. Ele vinha seguindo religiosamente as regras porque tinha medo de não ser considerado uma boa pessoa. Jack está começando a acreditar que os outros poderão achar que ele tem valor por ser quem é, mesmo que o seu desempenho não corresponda às expectativas deles. Está começando a compreender a diferença entre a religião em que acreditava, na qual as regras têm primazia, e a religião de Jesus, na qual os relacionamentos são o ponto principal.

Jesus não pregou uma filosofia de vida e não deixou um conjunto de regras religiosas para serem seguidas. Ele se expressava por meio de analogias, oferecia princípios espirituais e falava sobre o amor como a marca que distinguia aqueles que o seguiam. Ele disse: "Todos saberão que sois meus discípulos se vos amardes uns aos outros", porque esta era a mais pura explicação da religião que ele pregava. A religião dele era de relacionamentos e não de regras

A psicologia está chegando à conclusão de que os seres humanos não podem existir sem um relacionamento saudável com outra pessoa. Estamos reconhecendo que os relacionamentos são a atmosfera necessária à nossa sobrevivência. As crianças que não são abraçadas não se desenvolvem bem, parceiros amorosos de uma vida inteira morrem com poucos meses de diferença e a solidão é a principal causa do suicídio. A religião de Jesus era sobre amor e relacionamento, não sobre regras, porque é do amor nos relacionamentos que precisamos para sobreviver.

PRINCÍPIO ESPIRITUAL: Os relacionamentos que encerram amor são a prova da verdadeira religião.

ESTÍMULO

"Eu vos digo que este homem... voltou para casa justificado diante de Deus."
Lucas 18:14

De acordo com Jesus, Deus não exige que mudemos para que ele nos ame; é porque nos ama que ele nos estimula a mudar. É nos momentos de paz em que ansiamos em nos tornar pessoas melhores e admitimos para nós mesmos que podemos crescer que o sentimento de sermos amados por Deus nos estimula. O estímulo nos motiva a ser completos.

No início, achei que a minha terapia com Jessica tinha tudo para dar certo por causa do apego positivo que ela parecia ter por mim. "Você parece realmente saber o que está fazendo", disse ela. "Acho que sou uma pessoa de sorte por ter encontrado alguém tão competente na sua função quanto sou na minha." Mas, à medida que o tempo foi passando, ficou claro que o fato de idealizar-me estava prejudicando Jessica. Em vez de sentir-se melhor na minha presença, ela parecia sentir-se pior. Embora me considerasse um grande terapeuta, ela dava a impressão de não se sentir à vontade com o que considerava a minha excelência.

"Você foi realmente esperto quando decidiu ser psicólogo, porque estou certa de que você não tem que suportar o tipo de frustrações no seu trabalho que eu tenho que enfrentar no meu", ela se queixava. "Quero dizer, as pessoas com quem eu trabalho são basicamente idiotas. Eu sou provavelmente a pessoa mais esperta no escritório e ninguém parece gostar disso." Jessica dava a impressão de estar quase desconcertada porque a sua vida não estava indo tão bem quanto ela imaginava que a minha estivesse.

Finalmente percebi que cada vez que Jessica estava comigo e me olhava considerando-me uma pessoa especialmente bem-sucedida, ela se sentia um fracasso. Apesar de me repetir que estava se dando muito bem na vida e de contar seus sucessos no trabalho, a verdade era que Jessica sentia uma grande insatisfação. Sentia-se desestimulada e não queria que ninguém soubesse disso.

De repente percebi que o triunfalismo de Jessica era uma fachada para encobrir sua sensação de fracasso. Ela precisava sentir-se segura para falar de suas falhas, de suas vulnerabilidades e do quanto desejava ser melhor do que achava que era. Assim que Jessica conseguiu descrever a sua insegurança e dizer que queria que os outros gostassem dela mas temia que isso não acontecesse, nossa terapia adquiriu uma qualidade diferente.

Jessica ficou surpresa com o que aconteceu. Em vez de sentir-se pior a respeito de si mesma por falar de suas falhas, ela passou a sentir-se melhor. A tentativa de receber atenção demonstrando uma extrema competência na verdade a desestimulava, mas o fato de compartilhar seu ardente desejo de crescer e melhorar começou a dar-lhe mais coragem. Jessica estava aprendendo que era mais importante para ela receber estímulos dos outros do que tentar impressioná-los. Este foi um passo fundamental para que ela compreendesse do que precisava para ser uma pessoa completa.

Jesus ensinou que temos um Deus que está intimamente interessado em tudo a nosso respeito, não para julgar-nos por nossas más ações e sim por desejar o nosso crescimento. Cada um de nós é importante para Deus. Quando revelamos a ele os nossos pensamentos e sentimentos mais profundos, ele nos aceita pelo que somos. Esta é uma profunda fonte de estímulo.

Jesus ensinou que temos uma necessidade essencial de crescer e que o estímulo que vem de Deus nos encoraja para nos desenvolvermos. Qualquer pessoa que tenha criado uma criança conhece essa necessidade humana fundamental. Quer seja empilhando blocos ou tentando ganhar o Prêmio Nobel, precisamos que os nossos esforços tenham importância para outra pessoa. Necessitamos de estímulo para crescer.

PRINCÍPIO ESPIRITUAL: Não mude para ser amado; cresça a partir do que você é.

SERMOS AMADOS POR QUEM SOMOS

"E até mesmo todos os fios de cabelo da vossa cabeça estão contados."
Mateus 10:30

Foi muito bom Mary e Daniel terem procurado o aconselhamento conjugal. Mary amava Daniel, mas achava que viver com ele era muito estressante. Daniel era um homem de elevados princípios morais, comprometido com suas convicções religiosas e que valorizava a sua reputação na comunidade. Mary era uma pessoa de espírito livre que dava valor a ser receptiva e aberta aos outros. Daniel era um homem para quem as coisas eram "ou pretas ou brancas", ao passo que Mary vivia principalmente nas "áreas cinzentas". Ambos tinham muito a aprender um com o outro, mas cada um achava o outro decepcionante.

Daniel acreditava firmemente no certo e no errado. Mary achava que os sentimentos da outra pessoa deviam ser considerados em primeiro lugar. Às vezes, Daniel era mais prudente, em outras Mary era mais amorosa. A dificuldade estava no fato de que para Daniel e Mary suas diferenças significavam desavenças, e isso era um problema no casamento deles.

Daniel acreditava que marido e mulher deviam tornar-se "uma só carne" e deviam concordar e pensar da mesma maneira quando tomavam decisões. Mary nem sempre tinha o mesmo ponto de vista a respeito das coisas. Daniel via as opiniões diferentes de Mary como uma oposição e um desafio a ele. Mary achava que Daniel era crítico demais.

Mary respeitava Daniel por ele ser íntegro e fiel, mas mesmo assim queria que o marido mudasse. Daniel amava Mary por sua compaixão e capacidade de discernimento, mas considerava a recusa dela em prestar atenção aos detalhes um defeito de caráter. Nem Mary nem Daniel gostavam de ter um cônjuge tão diferente de si. Ambos eram de opinião que intimidade significava concordância, de modo que questionavam o casamento baseados no fato de terem personalidades diferentes. Tanto Mary quanto Daniel achavam que tinham cometido um erro ao se casar, mas nenhum dos dois sabia o que fazer a respeito do problema.

Embora fosse mais difícil para Daniel, eles começaram a discutir menos quando ambos modificaram a maneira como encaravam as diferenças entre eles. Ser diferente não tinha que significar que algo estava errado; poderia também ser um sinal de força no casamento. Daniel aprendeu por que "A corda tripla não se rompe facilmente" (Eclesiastes 4:12) quando começou a perceber como as diferenças entre eles poderiam atuar juntas para tornar a união mais forte. Começou a entender que um vínculo formado pelo amor era sempre mais forte do que laços baseados na total concordância. A harmonia no casamento de Daniel e Mary melhorou assim que eles foram capazes de aplicar essa lição a si mesmos. À medida que Daniel e Mary começaram a apreciar suas diferenças, em vez de ressentir-se delas, eles continuaram a discordar a respeito das coisas, mas essas divergências geraram menos discussões.

Jesus ensinou que as características de cada pessoa como indivíduo são tão importantes para Deus que este sabe o número "até mesmo de todos os fios de cabelo da vossa cabeça". Jesus acreditava que cada um de nós possui características únicas que enriquecem nossos relacionamentos com os outros. As nossas personalidades distintas precisam ser apreciadas para que os nossos relacionamentos sejam completos.

Algumas pessoas têm dificuldade em compreender isso. Elas acham que se fizermos parte da mesma comunidade não poderemos ser diferentes em nada, ou seja, precisamos andar, falar, nos vestir, agir e pensar da mesma maneira para fazer parte do mesmo grupo. Jesus não pensava assim. Ele acreditava que os relacionamentos mais fortes deixam espaço para as diferenças individuais entre as pessoas. A nossa capacidade de conviver com essas diferenças é um sinal de saúde espiritual e emocional. Na verdade, as pessoas que têm os relacionamentos mais amadurecidos sentem prazer no fato de serem diferentes.

PRINCÍPIO ESPIRITUAL: As diferenças não precisam significar divergências.

O PERDÃO E A CURA

"O que é mais fácil dizer: 'Teus pecados estão perdoados' ou 'Levanta-te e anda'?"
Lucas 5:23

Emma sofreu abuso e foi abandonada pelos pais quando criança, tendo sido criada no sistema de lares adotivos. Sua infância foi extremamente sofrida por causa do tratamento que recebeu dos pais e também em vários dos locais onde morou. Emma sempre culpara os pais pelo sofrimento que teve que suportar, mas ultimamente decidira colocar uma pedra em cima do passado.

"Já consegui superar tudo", ela me explicou. "Eles provavelmente eram imaturos e incapazes de assumir responsabilidade ou não tinham recursos. Não importa. Vou simplesmente me concentrar no presente e deixar o passado para trás. Não estou interessada em uma terapia profunda. Só preciso de algumas sessões rápidas para recobrar o equilíbrio e seguir em frente."

Mas o passado de Emma recusava-se a ficar para trás. Ela sentia raiva grande parte do tempo, não confiava nas pessoas, nunca dormia bem e fazia sistematicamente más escolhas nos seus relacionamentos. Emma havia *desculpado* os pais, mas não os havia *perdoado.* No entanto, queria seguir em frente, sem olhar para trás, achando que revolver todas aquelas recordações dolorosas da infância era penoso demais e não adiantaria nada.

Acontece que a terapia de Emma não foi tão rápida quanto ela desejava. Foram necessários anos de terapia e grupos de apoio para que ela pudesse compreender a importância de lidar com sua questão inacabada com os pais e mais tempo ainda para que pensasse em perdoá-los. No fundo, Emma não queria perdoar os pais porque achava que ao fazer assim estaria tornando a atitude deles aceitável. Mas isso não é verdade. Pode-se perfeitamente perdoar as pessoas, mas optar por não permitir que elas voltem a fazer parte da sua vida se você não achar que recebê-las de volta seria uma boa coisa. Emma precisava acreditar que o que os pais fizeram foi errado, mas não tinha que continuar a odiá-los por isso. O seu ódio só a estava magoando. Emma precisava perdoar os pais por causa dela mesma, e não deles.

Ao compartilhar suas experiências e sentimentos na terapia e nos grupos de apoio, Emma não se sente mais sozinha. Sentindo-se compreendida, ela começou a olhar de novas maneiras para o ressentimento que os pais despertaram nela. Ao perdoá-los, ela libertou a si mesma de uma vida de culpa e ódio. O trabalho foi imenso, mas, ao completá-lo, Emma atingiu um nível mais profundo de totalidade espiritual e psicológica.

Às vezes os meus pacientes gostariam que eu dissesse algo milagroso que lhes permitisse psicologicamente "levantar-se e andar" de imediato. Mas quando somos feridos no nosso nível mais profundo precisamos passar por um processo que exige a nossa participação ativa. Precisamos nos esforçar para identificar o que foi ferido no nosso coração e nos nossos relacionamentos para em seguida perdoar. Esta seqüência geralmente não é fácil e raramente é instantânea.

Na época de Jesus, as pessoas também desejavam soluções imediatas. Elas preferiam os milagres ao trabalho árduo. Mas Jesus não estava interessado simplesmente em ajudar as pessoas a se sentir melhor; ele queria que elas de fato melhorassem. Para ele, isso significava lidar com as feridas do coração e dos relacionamentos que exigiam perdão e reconciliação. Ele sabia que às vezes era mais fácil dizer a uma pessoa fisicamente debilitada "levanta-te e anda" do que dizer "teus pecados estão perdoados". Curar fisicamente o corpo era fácil quando comparado com o arrependimento e o perdão necessários no coração humano.

PRINCÍPIO ESPIRITUAL: É mais fácil desculpar as pessoas do que perdoá-las; mas para o nosso crescimento o ideal é perdoar.

CAPÍTULO 10

Conhecendo o seu poder pessoal

Quando uma mulher samaritana veio tirar água, Jesus lhe disse: "Podes me dar de beber?"
A mulher samaritana respondeu-lhe: "Como é que tu, um judeu, pedes de beber a mim, que sou samaritana?" ...
Em resposta Jesus lhe disse: "Quem bebe dessa água tornará a ter sede, mas quem beber da água que lhe darei nunca mais terá sede." ...
A mulher pediu: "Senhor, dá-me dessa água para que eu não sinta mais sede." ...
Jesus lhe disse: "Vai chamar teu marido e volta aqui."
A mulher respondeu: "Eu não tenho marido."
Jesus disse: "Estás certa quando dizes que não tens marido. De fato, tiveste cinco e aquele que agora tens não é teu marido."
"Senhor", disse a mulher, "vejo que és um profeta. ... Eu sei que o Messias está para vir. Quando chegar, ele nos explicará todas as coisas."
Jesus então declarou: "Sou eu que falo contigo."
Nisso chegaram os discípulos e se admiravam de que estivesse falando com uma mulher. Mas ninguém perguntou, ... "Que falas com ela?"
Deixando então o cântaro, a mulher voltou à cidade e disse a todos: "Vinde ver um homem que me disse tudo o que fiz. Não será ele o Cristo?"

João 4:7-30

O poder que exercemos *sobre* os outros pode ser inebriante, mas o seu efeito é temporário. Jesus teve na vida a experiência sempre satisfatória de alcançar o poder *com* os outros. Para ele, não existia poder isolado. Este fato era frustrante para os seus seguidores, porque muitos esperavam que Jesus se estabelecesse como um líder político e os indicasse para cargos influentes no seu novo reino. Jesus sabia que a pessoa verdadeiramente poderosa está mais interessada nas pessoas do que na política. Para ele, o verdadeiro teste do poder pessoal não reside em controlar os outros, mas em dar-lhes poder.

Apesar de ter sido um dos maiores líderes espirituais da história, Jesus passou muito pouco tempo em lugares religiosos, pois quase sempre ficava onde as pessoas viviam. Ele estava interessado nas pessoas e exerceu grande influência na vida daqueles que conheceu.

Jesus sabia que a empatia era o segredo do verdadeiro poder pessoal. Empatia é uma atitude de interesse e acolhida. É ela que possibilita o verdadeiro entendimento. Quando existe uma verdadeira empatia, o resultado pode ser transformador.[1]

A DEFINIÇÃO DO PODER PESSOAL

"Dai a César o que é de César e a Deus o que é de Deus."
Mateus 22:21

Justin é um homem poderoso. Ele é funcionário público de alto nível, possui vários cursos de pós-graduação e é conhecido em todo o país devido à sua carreira política. Justin custeou seus estudos na faculdade e conquistou a posição que ocupa hoje com o seu próprio esforço. Ele tem orgulho das suas realizações porque não espera que os outros lhe ofereçam oportunidades, preferindo ele mesmo criá-las.

Por temer que sua carreira pudesse ser prejudicada, Justin tomou medidas para que ninguém soubesse que ele estava fazendo terapia.

No mundo dos tubarões da política no qual ele vivia, ter sessões com um psicólogo poderia ser interpretado como uma fraqueza pela qual ele poderia ser comido vivo.

Minha primeira tarefa foi mostrar a Justin que o consultório do psicólogo não é um lugar onde se consertam as pessoas. Ele não precisava de mim para lhe dar conselhos e corrigir seus problemas. Ele necessitava de mim para ajudá-lo a se compreender melhor, para que então ele pudesse dar melhores conselhos para si mesmo e fazer escolhas mais saudáveis.

Para Justin, o poder era usado para chegar ao topo. Justin considerava o poder um bem escasso, ou seja, quanto mais ele tivesse, menos os outros teriam. Estava constantemente tentando manter o poder nos seus relacionamentos, imaginando que se abrisse mão dele acabaria na posição mais fraca. Esta idéia dava origem a uma contínua luta de poder nos relacionamentos pessoais de Justin.

Durante o processo terapêutico, Justin e eu vivemos uma experiência diferente de poder. Embora no início ele se sentisse ameaçado pelo que supunha ser meu poder como terapeuta, esta sensação já não é mais tão intensa. Ele está começando a compreender que posso ser poderoso na vida dele de uma maneira que lhe confira poder, e isso é bom para ele. O trabalho realizado em comum é que promove essa compreensão. Justin inicialmente imaginou que eu tinha poder *sobre* ele porque tenho o grau de doutor e ele está me pagando. Agora ele percebe que é o nosso relacionamento que lhe dá o poder de compreender melhor a si mesmo. O fato de eu conhecê-lo o ajuda a se conhecer melhor. Está começando a entender o poder da maneira que Jesus queria que o compreendêssemos.

Existem muitos tipos de poder: físico, político, financeiro, intelectual, espiritual, pessoal; a lista é bem longa. Embora algumas pessoas persigam o poder em todas as suas formas, Jesus só estava interessado no poder verdadeiro, aquele que perdura.

Alguns pensam no poder pessoal como uma força que emana de alguém e possibilita que essa pessoa alcance a sua excelência individual. Para Jesus, o poder pessoal era uma ligação amorosa com os outros que resultava em algo muito maior do que a excelência individual. O poder pessoal é uma união espiritual entre seres humanos que faz com que cada pessoa seja mais do que ela poderia ser isoladamente. O poder pessoal não nasce *dentro* das pessoas; ele é uma força criada *entre* elas.

Jesus sabia que César estava interessado em um tipo de poder que desapareceria quando ele morresse, e é por isso que disse: "Dai a César o que é de César." Jesus estava interessado no poder que transcende a morte. Para ele, o poder pessoal era o poder alcançado *com* outras pessoas e não *sobre* os outros. Ele achava que era um erro tentar obter poder individualmente. O tipo de poder que ele queria para nós só podia ser sentido se fosse partilhado.

PRINCÍPIO ESPIRITUAL: O poder pessoal é o poder com outras pessoas e não sobre elas.

O PODER DE SER CONHECIDO PESSOALMENTE

"Eu vos conheço."
João 5:42

Olivia veio fazer terapia para trabalhar a auto-estima. Ela queria ter mais confiança em si mesma e vencer a timidez. Lera alguns livros sobre auto-estima e tentara praticar as sugestões incluídas neles, mas sua maneira de pensar e de sentir não mudara muito.

No final da nossa primeira sessão, Olivia pediu-me que lhe passasse uma tarefa para fazer em casa.

– Gostaria de trabalhar um pouco a minha auto-estima todos os dias – disse ela. – Qualquer coisa que você me der para fazer vai me ajudar a lidar mais rápido com esse problema.

– Acho que você já leu muito coisa sobre auto-estima – retruquei. – Talvez o que você precise aprender mais neste momento seja conhecer a si mesma, e acho que nós dois precisamos estar juntos para fazer isso acontecer.

Pude perceber que o processo que levaria Olivia a compreender mais profundamente a si mesma se daria à medida que ela se sentisse conhecida. No decorrer dos meses seguintes foi exatamente isso o que aconteceu.

Na terapia, descobri que Olivia sentia-se mal a respeito de quem era. Por isso, raramente se abria com as pessoas e mantinha em segredo os sentimentos negativos, com medo de que os outros pudessem sentir o mesmo por ela. Infelizmente, os segredos ocultos raramente se modificam com leituras ou conselhos. Ela precisava expor seus segredos para outra pessoa para poder sentir-se pessoalmente conhecida e acolhida. Este era o ponto de partida para a transformação da sua auto-estima. O fato de ela fingir ser uma pessoa diferente do que era não contribuía em nada para sua auto-imagem. Ela precisava se sentir aceitável tal como era e a partir daí crescer e se aprimorar.

A terapia de Olivia a tem ajudado muito. Em vez de querer que eu lhe forneça informações, ela passou a desejar ser conhecida por mim. Eu não a vejo mais como uma moça tímida, e outras pessoas também estão notando uma diferença. Acredito que Olivia esteja se tornando pessoalmente mais poderosa porque descobriu que é conhecida e compreendida, e isso não faz com que ela se sinta tão mal. Com efeito, perder o medo da verdade fez Olivia sentir-se muito melhor.

Os seres humanos não podem viver isolados, e por isso procuramos nos relacionar com os outros. A experiência de sermos conhecidos e entendidos nos confere a sensação psicológica de que tudo está bem. Temos que perceber que somos conhecidos pelos outros tal como somos – e não apenas pelo que fazemos – para nos sentirmos psicologicamente completos. Esse tipo de conhecimento é compartilhado entre as pessoas, pois são necessárias duas pessoas para criar o conhecimento pessoal. Quando ele se fundamenta na verdade, ambas as pessoas são transformadas e crescem.

Jesus acreditava que fomos criados com o propósito de conhecer Deus e sermos conhecidos por ele. Um ponto central do seu ensinamento era comunicar o poder transformador de conhecer Deus, que não é um conhecimento intelectual e isolado, mas uma experiência que só se dá no relacionamento.

PRINCÍPIO ESPIRITUAL: O conhecimento pessoal é criado entre as pessoas e não dentro delas.

O PODER DA EMPATIA

"Vinde ver um homem que me disse tudo o que já fiz."
João 4:29

John foi forçado a fazer terapia devido à sua dificuldade em se relacionar com as pessoas. Estava prestes a perder o emprego e a sua mulher ameaçava pedir o divórcio. Ele não gostava de psicólogos e achava que a terapia era um desperdício de dinheiro. Mas como queria mostrar à mulher que estava tentando fazer alguma coisa para manter o casamento, veio me procurar.

Descobri logo que John era o tipo de pessoa de quem acho difícil gostar. Ele achava que tinha o direito de ser rude com os outros, freqüentemente agia de modo ameaçador e acreditava em vencer através da intimidação. Várias vezes em nossas sessões ele me provocava, como se estivesse procurando um motivo para discutir. Era brigão e orgulhava-se disso.

Apesar da dificuldade em relacionar-me com John, vim a compreendê-lo com o tempo. Ele havia sofrido várias humilhações dolorosas na vida e sentia muita raiva por causa disso. Embora não se abrisse completamente comigo a respeito de seus traumas, cheguei a entendê-lo o suficiente para ajudá-lo a perceber a ligação entre sua raiva e os acontecimentos passados que ainda despertavam nele um desejo de vingança. Ele fora ferido, e alguém tinha que pagar por isso.

Eu gostaria de poder dizer que me tornei uma figura semelhante a Cristo para John na nossa terapia e que foi isso que o curou da raiva. Mas em muitos aspectos fiquei bem aquém do que Jesus teria feito. No entanto, fiz uma coisa que o beneficiou. Eu o acolhi e compreendi o suficiente para ajudá-lo a conhecer-se um pouco melhor, ajudando-o a mudar. John terminou a terapia entendendo por que fica com tanta raiva e sendo mais capaz de lidar com isso e expressar seus sentimentos. Eu não diria que John está curado, mas afirmaria que ele melhorou muito. Apesar de ter sido difícil para mim, o fato de eu ter acolhido e compreendido com empatia a dor de John foi muito positivo na vida dele. Ele não conseguiu escapar do impacto da empatia.

A mulher à beira do poço foi tão profundamente tocada pela forma empática com que Jesus a compreendeu que teve a sensação de que ele sabia "tudo o que ela tinha feito". Era assim que Jesus demonstrava o seu poder pessoal. Ele mostrava seu poder milagroso e espiritual em outras ocasiões,[2] mas gostava especialmente de comunicar o poder pessoal por meio da sua empatia pelos outros, fazendo com que suas vidas se modificassem para sempre. Empatia é sinônimo de compreensão, e ninguém na história demonstrou ser mais capaz de evidenciá-la do que Jesus.

PRINCÍPIO ESPIRITUAL: A maior expressão de empatia é sermos compreensivos com alguém de quem não gostamos.

O PODER DA SOLIDARIEDADE

"Deus amava tanto o mundo..."
João 3:16

Supervisiono vários alunos de terapia no centro de aconselhamento onde trabalho. Gosto muito de trabalhar com terapeutas iniciantes porque eles trazem um grande entusiasmo para o exercício da terapia. É claro que eles não têm muita experiência quando começam a praticar, mas descobri que compensam a falta de prática com a compaixão que sentem pelos pacientes.

Connie foi escolhida para ser a primeira paciente de Mary, uma das alunas que estão sob a minha supervisão. Connie, que tivera uma criação terrível, nunca fizera terapia antes e jamais falara com outro ser humano a respeito do abuso que sofrera quando criança. À medida que a terapia foi progredindo, Connie começou a sentir-se segura o suficiente para compartilhar com Mary as experiências que guardara em segredo a vida inteira. Foi doloroso até mesmo para Mary ouvir o relato do abuso e da degradação humilhantes que Connie sofrera, mas ambas sabiam que o fato de Connie recontar a sua história era uma parte essencial da sua cura.

Numa sessão, apesar de temer não estar tendo uma postura profissional, Mary não conseguiu se conter e começou a chorar. No final da sessão, as duas conversaram a respeito de como tinha sido doloroso para Connie sobreviver sozinha a tudo o que sofrera na infância. Mary sentia por Connie uma genuína compaixão, e ambas sabiam disso.

Durante o período da minha supervisão, Mary e eu descobrimos que suas lágrimas espontâneas na presença de Connie tiveram um grande poder terapêutico. Até então, Connie sentia medo de compartilhar a sua história com alguém, por ter muita vergonha. Ela temia que quem escutasse o relato do abuso que sofrera ficasse tão zangado com ela quanto sua mãe ficara quando Connie acusou o pai. As lágrimas de Mary lhe transmitiram uma mensagem bem diferente: ela compreendeu que não era responsável pelo abuso e que poderia ser amada mesmo nos momentos em que se sentia menos digna de receber amor. Connie tinha medo de que os seus sentimentos negativos contra o pai a tornassem uma pessoa má, mas a solidariedade de Mary fez com que ela sentisse que tinha valor suficiente para que as pessoas se preocupassem com ela.

Tanto Mary quanto Connie descobriram uma coisa que Jesus ensinou séculos atrás. A compaixão nos confere um poder pessoal. No caso de Mary, esse sentimento lhe deu o poder de facilitar a cura de Connie, que ninguém tinha feito antes.

Solidariedade é diferente de empatia. Solidariedade é o sentimento de compaixão por outra pessoa, que pode assumir a forma de calor humano, misericórdia ou mesmo piedade. Podemos ser solidários com as pessoas mesmo quando não as entendemos. A solidariedade era um dos aspectos do poder pessoal de Jesus.

Jesus não veio ficar entre nós porque "Deus amava tanto o mundo". Ele nunca se aproximou das pessoas transmitindo-lhes a idéia de que elas precisavam mudar para serem dignas de amor. Ninguém precisava fazer nada para conquistar o seu amor, pois ele amava as pessoas por serem quem eram, com todas as imperfeições que pudessem ter. Jesus era poderoso porque era solidário com as pessoas.

PRINCÍPIO ESPIRITUAL: A compaixão é um precioso instrumento de transformação.

AS PESSOAS OU A POLÍTICA?

"O maior entre vós será vosso servo."
Mateus 23:11

Halle era uma profissional bem-sucedida que havia demonstrado que a mulher pode ser eficiente em um setor dominado pelos homens, mas o seu sucesso tivera um preço. Por saber que se fosse "excessivamente emocional" nas reuniões de negócios não seria levada a sério, Halle tornara-se perita em reprimir seus sentimentos. Ela conseguia alcançar com eficácia as metas da empresa, mas seus objetivos pessoais foram deixados em segundo plano.

Durante a terapia, Halle e eu descobrimos algumas contradições na sua vida. Ela estava sendo obrigada a tomar decisões que atendiam profissionalmente, mas não emocionalmente, aos seus interesses. O fato de sufocar seus sentimentos a respeito das práticas injustas, e às vezes cruéis, dos seus associados preservava a sua posição na organização mas prejudicava sua saúde psicológica. Por outro lado, expressar esses sentimentos poderia ser benéfico do ponto de vista emocional, mas lhe custaria o emprego.

Quando examinávamos os vários aspectos das escolhas que Halle estava fazendo, ela chegou a uma difícil conclusão. Embora descortinasse para si um futuro profissional brilhante se continuasse a calar-se ante as injustiças que presenciava, Halle concluiu que o preço a pagar seria excessivamente alto. Pessoas importantes na sua vida estavam sofrendo por causa das suas escolhas, inclusive ela mesma. Aquelas que ela menos respeitava eram as que estavam se beneficiando mais. Halle decidiu que não queria viver daquela maneira; para ela, a dignidade daquelas pessoas valia mais que o seu sucesso na empresa.

Hoje, Halle é uma executiva de sucesso em uma organização sem fins lucrativos e adora o emprego. Ela moderou o seu estilo de vida para se adequar à redução salarial no novo emprego, mas melhorou muito sua qualidade de vida, pois se respeita mais e se relaciona melhor com as pessoas que ama. Halle não é mais tão ansiosa e deprimida e se sente feliz na maior parte do tempo. A felicidade e a paz de espírito não são sentimentos que ela costumava levar em conta há alguns anos no seu processo de tomada de decisões, mas hoje são os primeiros na sua lista de prioridades.

A ambição pode levar as pessoas a procurar o poder político e profissional. Os seres humanos são ambiciosos por várias razões, algumas das quais bastante saudáveis e positivas. O poder pessoal, contudo, é motivado pelo *amor*. Jesus estava disposto a sacrificar qualquer coisa politicamente correta para preservar o seu poder pessoal.

Nem mesmo aqueles mais próximos de Jesus compreendiam o seu poder pessoal. Seus discípulos discutiam entre si sobre quem seria a figura mais importante no reino político de Jesus que estava para ser criado.[3] Sem dúvida, pensavam eles, uma pessoa poderosa como Jesus ascenderia à posição política de destaque que desejasse. Mas Jesus priorizou as pessoas quando disse: "O maior entre vós será vosso servo." Para ele, o poder pessoal sempre seria vivido dessa maneira.

PRINCÍPIO ESPIRITUAL: Ser politicamente correto muitas vezes encerra um alto preço pessoal.

A DIFERENÇA ENTRE CONFIANÇA E ARROGÂNCIA

"Todos os que lançarem mão da espada, pela espada morrerão."
Mateus 26:52

Brian havia lido muitos livros sobre autoconfiança. Ele buscava o sucesso e exercia seu poder através da intimidação. Para ele, autoconfiança era a força interior que lhe permitia atingir a supremacia pessoal sem sentir-se mal a respeito de si mesmo nesse processo.

O conceito de autoconfiança de Brian o fazia trabalhar arduamente na sua carreira sem nenhum sinal de insegurança. Mas a sua vida pessoal estava se deteriorando. Os amigos se afastavam e eram substituídos por seus sócios nos negócios e por pessoas com interesses semelhantes aos dele. Seus colegas o temiam, e os seus relacionamentos com as mulheres estavam cada vez mais difíceis. Embora Brian afirmasse estar gostando de si mesmo mais do que nunca, todo mundo parecia estar gostando menos dele.

Pouco a pouco, no decorrer da terapia, Brian percebeu que suas idéias a respeito da autoconfiança eram uma tentativa de encobrir suas carências. Ele queria sempre mais coisas porque sem elas sentia-se mal. Estava tentando dissimular maus sentimentos em vez de perseguir os bons. Brian agora está começando a redefinir a autoconfiança na sua vida, fazendo com que ela se baseie mais na satisfação interior do que no sucesso. Hoje ele se preocupa em usufruir mais daquilo que está ao seu alcance do que em buscar continuamente novas coisas.

Brian está começando a compreender que a sua busca da supremacia pessoal não estava aumentando a sua autoconfiança e sim tornando-o arrogante. Concentrar-se em ser melhor do que os outros nunca o fez sentir-se bem a respeito de si mesmo. Para que isso acontecesse ele tinha que forçar uma situação. A paz interior não surgia naturalmente ou com facilidade.

Brian está começando a entender o que Jesus quis dizer quando falou: "Todos os que lançarem mão da espada, pela espada morrerão." Seu modo de encarar o mundo como um campo de batalha psicológico onde somente os fortes sobrevivem o estava obrigando a fundamentar a sua opinião sobre si mesmo no que ele *fazia* e não em quem ele *era*. Isso nos obriga a depender sempre do último desempenho e nos deixa em estado de ansiedade ante o próximo desafio. Em vez de reforçar a autoconfiança de Brian, as vitórias nessa guerra estavam aumentando a sua arrogância, o que afastava as pessoas. Quando Brian passou a basear sua autoconfiança no fato de ser uma pessoa mais autêntica, começou a atrair as pessoas. Brian ainda é um homem de negócios extremamente bem-sucedido e está a caminho do topo da sua profissão, mas não quer estar sozinho quando chegar lá.

As pessoas sabiam imediatamente que Jesus possuía poder pessoal e muita autoconfiança. Ele se sentia suficientemente seguro e à vontade para fascinar multidões ou acolher uma criança. Possuía a capacidade única de transmitir confiança sem ser confundido com um homem arrogante com necessidade de exercer controle.

É fácil testar se estamos ou não na presença de uma pessoa autoconfiante. Diante de alguém que possui uma verdadeira auto-estima, nós nos sentimos mais à vontade e poderosos. Na presença de uma pessoa que tem uma falsa auto-estima e está tentando compensar este fato com a arrogância, ficamos diminuídos e intimidados. Jesus não precisava que os outros se sentissem diminuídos para se sentir poderoso. As pessoas sentiam-se agradecidas por o terem conhecido.

PRINCÍPIO ESPIRITUAL: A confiança fortalece, ao passo que a arrogância subjuga.

CAPÍTULO 11

Conhecendo o seu verdadeiro valor

Quando Jesus e os discípulos continuaram a seguir o seu caminho para Jerusalém, chegaram a um povoado no qual uma mulher de nome Marta os recebeu em sua casa. A irmã dela, Maria, estava sentada aos pés do Senhor e escutava as suas palavras.

Marta estava ocupada pelo muito serviço. Parando, por fim, disse: "Senhor, não te parece injusto que minha irmã fique sentada enquanto eu faço todo o serviço? Diz-lhe que venha me ajudar."

Mas o Senhor retrucou: "Marta, Marta, tu te inquietas e agitas por muitas coisas! No entanto, apenas uma coisa merece a nossa preocupação. Maria com efeito escolheu a melhor parte que não lhe será tirada!"

Lucas 10:38-42

Embora Marta achasse que sua irmã estava sendo egocêntrica ao deixar de ajudá-la, Maria, ao contrário, estava crescendo espiritualmente ao concentrar-se no relacionamento com Jesus. Ele nos ensina que só podemos encontrar o nosso centro espiritual interior ao reconhecê-lo como a dimensão do divino em nós. As pessoas que entram em contato com sua dimensão divina são pessoas retas e íntegras. A retidão espiritual envolve confiar em alguém maior do que nós, o que é diferente de confiarmos apenas em nós. Marta confiava apenas em si e em seu trabalho. Maria procurava a retidão espiritual confiando e entregando-se a Deus.

Muitas pessoas, como Marta, procuram ser virtuosas aos seus próprios olhos desenvolvendo comportamentos que consideram adequados. Jesus sabia que os comportamentos verdadeiramente retos e íntegros são conseqüência do relacionamento com Deus.

O termo "retidão" pode aplicar-se tanto ao nosso relacionamento com os outros quanto com Deus. Para ter um relacionamento reto com os outros precisamos aceitar que termos necessidade deles é sinal de força e não de fraqueza.[1] É somente através do nosso relacionamento com Deus e com os outros que podemos alcançar o nosso mais elevado potencial. Quando tentamos fazer as coisas completamente sozinhos, acabamos como Marta, nos esforçando para parecermos virtuosos aos nossos próprios olhos, mas sempre insatisfeitos.

SOMOS TODOS PECADORES

"Aquele de vós que estiver sem pecado atire a primeira pedra."
João 8:7

Dalton e Miranda pareciam um ótimo casal. Eram pessoas atraentes e divertidas. Tinham uma casa grande, filhos bonitos e muitos amigos. Aparentemente tudo parecia andar às mil maravilhas para eles.

Mas as aparências podem enganar. Miranda sabia que Dalton era um homem maravilhoso, mas ela se sentia insatisfeita no casamento. Dalton era divertido, mas adorava contar as próprias histórias e tinha dificuldade em ouvir as dela. Ela o achava bonito e atraente, mas sempre muito apressado ao fazer sexo. Miranda queria algo mais. Ela desejava ter uma comunhão maior com o marido, de coração para coração, e sentir que era profundamente compreendida. Miranda queria mais intimidade e não acreditava que Dalton fosse capaz.

As coisas aconteceram aos poucos. Miranda começou a ter regularmente conversas intensas e pessoais com um dos vizinhos. Sheldon era amigo do casal, e Miranda constatou que gostava muito de conversar com ele. "Tínhamos uma enorme afinidade um com o outro", ela explicou mais tarde. "Era como se eu tivesse conhecido Sheldon a vida inteira. Conversar com ele não requeria esforço. Nada parecia mais natural." Em um determinado momento, Miranda compreendeu que estava tendo um caso emocional. Ela não tinha qualquer relação física com Sheldon, mas certamente estava oferecendo a ele as partes mais íntimas do seu eu emocional.

Dalton e Miranda fizeram a sábia escolha de procurar o aconselhamento conjugal para lidar com a situação em que se encontravam. Ela contara ao marido a natureza do seu relacionamento com Sheldon e tinha concordado em rompê-lo a fim de descobrir se o casamento deles poderia ser salvo. Dalton estava profundamente magoado e zangado, porque não tinha feito de fato nada de errado. Quando não somos abandonados por causa do que *fizemos*, provavelmente é em virtude de quem *somos*, o que é uma coisa muito dura de suportar.

Dalton reagiu, um pouco talvez por espírito de competição, mas principalmente porque amava sinceramente sua mulher. Lutou por ela e pela família, mas não de forma defensiva e destrutiva. Foi preciso um grande esforço para dizer a Miranda o quanto estava humilhado, mas não descansou enquanto não teve certeza de que ela compreendia a profundidade de sua dor e de sua raiva. Tomou conhecimento de como ela se sentia solitária no casamento e esforçou-se para entender a sua parte no processo. Muitas vezes Dalton sentiu muita raiva de Miranda, mas se conteve. Ele sabia que não era perfeito e não ia melhorar as coisas agindo precipitadamente.

Mas em algum ponto do processo do aconselhamento conjugal Dalton descobriu que era capaz de ficar zangado e ao mesmo tempo ser amoroso. Aprendeu que o oposto do amor não era a raiva, mas a indiferença, e que ele tinha sido omisso no seu relacionamento com Miranda.

Miranda também aprendeu alguns fatos a respeito de si mesma. Descobriu que tomar posse de coisas que não lhe pertenciam (Sheldon também era casado) era uma solução egoísta para os seus problemas. Constatou que não tinha sido uma pessoa tão aberta quanto imaginara ser e que tinha julgado Dalton injustamente ao considerá-lo psicologicamente inferior a ela. Mas o mais importante é que Miranda compreendeu que podia ser amada em um momento da vida em que menos merecia. Quando entendeu o quanto Dalton tinha sido ferido com o seu envolvimento, ficou impressionada ao descobrir como ele ainda a amava.

Miranda e Dalton representam uma história de sucesso no aconselhamento conjugal. Eles começaram como pessoas imperfeitas que haviam contribuído para a ferida no casamento. Ao reconhecer este fato, estavam admitindo que ambos eram "pecadores" na terminologia de Jesus. Reconhecer que haviam errado foi o ponto inicial para corrigir as coisas. Hoje o casamento deles é um "processo em andamento". A comunicação entre os dois está mais intensa, os sentimentos de amor são mais fortes e ambos diriam que o casamento está melhor que nunca. A união deles não é perfeita, mas tem a retidão que Jesus achava que os relacionamentos devem ter.

Em determinada ocasião, uma mulher apanhada em flagrante de adultério foi levada à presença de Jesus para que certos líderes religiosos pudessem testar o seu respeito pela lei judaica que exigia que a mulher fosse apedrejada até morrer. Mas Jesus via a retidão de outra maneira. Ele pediu a cada pessoa na multidão que examinasse o próprio coração dizendo: "Aquele de vós que estiver sem pecado atire a primeira pedra." Ninguém teve coragem de atirar.

Ao fazer isso, Jesus estava deixando clara a sua definição de retidão e integridade. As pessoas retas seguiam leis religiosas em decorrência do relacionamento que *já* tinham com Deus e não *para* se tornarem retas. Muitas vezes usamos leis e regras para provarmos que estamos certos. No entanto, o primeiro passo em direção à retidão é reconhecer que somos *todos* pecadores, capazes de incorrer em erros no nosso relacionamento com os outros.

Jesus quer que essa capacidade de errar vá sendo superada. No final, ele disse à mulher que "deixasse a vida de pecado". Ele sabia que gestos e atitudes de amor ajudam as pessoas a serem melhores. Se os nossos relacionamentos forem amorosos, será mais fácil agir com retidão. Relacionamentos comprometidos dão espaço para atos moralmente incorretos.

Como psicólogo, concordo plenamente com isso. Os meus pacientes que vivem casos ilícitos e destrutivos fazem isso por causa de maus relacionamentos, de feridas não curadas, de desapontamentos ou de falta de amor. Dizer-lhes que sigam as regras geralmente não adianta. O que funciona é amá-los.

PRINCÍPIO ESPIRITUAL: Nós nos tornamos retos quando nos sentimos amados, mesmo quando estamos errados.

VOCÊ NÃO É DEUS

"Ao Senhor teu Deus adorarás e somente a ele servirás."
Lucas 4:8

Chloe é uma alma torturada. Ela se mortifica por qualquer coisa, constantemente sente-se culpada e reduziu o contato humano na sua vida a uns poucos amigos que raramente vê. Chloe quase não sai de casa porque tem medo de que possa acontecer alguma coisa que arruíne o seu dia, de modo que prefere não deixar a segurança do seu apartamento.

Chloe morre de medo de micróbios e passa uma enorme parte do dia ocupada em livrar-se deles. Ela precisa certificar-se de que suas mãos estão limpas, lavando-as repetidas vezes. Não convida ninguém para ir ao seu apartamento porque, se alguém tocar em algum objeto seu, deixará micróbios nele e ela será forçada a limpá-lo repetidas vezes.

Chloe sofre de um distúrbio obsessivo-compulsivo. Ela não percebe, mas os micróbios não são o seu verdadeiro inimigo. Ela teve boas razões para sentir medo muitas vezes, mas isso começou muito antes de ela pensar em micróbios. Chloe foi criada como filha única em uma casa onde seus pais brigavam constantemente. Ela consegue lembrar-se que chorou muitas noites até conseguir dormir, com um medo terrível de que alguém se machucasse e seus pais acabassem se divorciando. Chloe temia que o seu mundo fosse desmoronar e não tinha a menor idéia do que faria se isso acontecesse. "Por favor, Deus", ela rezava todas as noites. "Prometo ser uma boa menina pelo resto da vida se você fizer com que eles parem de brigar."

Mas os pais de Chloe continuavam a brigar, de modo que com o tempo a menina voltou-se para um mundo secreto de fantasia para lidar com o seu medo. Ela imaginava que, se fizesse o percurso da escola até em casa sem pisar em nenhuma rachadura na calçada, seus pais não discutiriam naquela noite. Às vezes, quando os ouvia brigando, ela imaginava que, se pensasse com suficiente intensidade em uma palavra específica, ela os faria parar. Como os pais de Chloe não a faziam sentir-se segura, ela tinha que procurar segurança sozinha. Se não havia ninguém maior e mais forte que ela em quem pudesse confiar, ela tinha então que confiar no pensamento mágico da sua mente.

Infelizmente, a fantasia de Chloe de que a sua mente possuía poderes mágicos expandiu-se além da tentativa de fazer os pais pararem de brigar. Quando atingiu a idade adulta, a fantasia havia se difundido para várias áreas da sua vida na tentativa de criar uma sensação de segurança em um mundo cheio de ameaças. Hoje em dia, a sua principal preocupação são os micróbios. Agora ela imagina que se seguir os ditames da sua mente ficará a salvo dos perigos que os micróbios oferecem. Como não podia confiar nos pais, e nem mesmo em Deus para protegê-la do mal, ela foi obrigada a depositar a sua confiança no poder da própria mente.

Jesus ensinou que as pessoas, no seu desejo de segurança e proteção, precisam ter consciência do amor de Deus. Idolatrar qualquer outra coisa simplesmente não funciona. Precisamos sentir-nos protegidos, mas não podemos obter esse sentimento sem que alguém maior do que nós esteja presente quando precisarmos. Sob o aspecto psicológico, só podemos desenvolver a capacidade de nos acalmar se tivermos tido em nossa vida alguém em quem podíamos confiar e admirar durante a nossa fase de desenvolvimento. Jesus queria que as pessoas depositassem a sua confiança em Deus, porque é exatamente disso que elas precisam para conseguir a paz interior. Quem é mais capaz de nos fazer sentir seguros do que o criador do universo? Chloe tentou venerar o poder da própria mente, e isso só a levou em direção à angústia e ao medo. Jesus ensinou que não devemos adorar a Deus em proveito dele e sim em nosso benefício.

PRINCÍPIO ESPIRITUAL: Venerar a própria mente é servir a um deus muito pequeno.

A CHAVE PARA A ESPIRITUALIDADE

"Aquele a quem pouco se perdoa pouco ama."
Lucas 7:47

Considero importante examinar o passado, mas não creio que devamos viver nele. Com essa observação, quero dizer que compreender o impacto da nossa história passada no nosso presente nos deixa livres para fazer as escolhas mais saudáveis. Rebecca não entendia de que maneira a sua infância estava prejudicando sua vida na idade adulta. Paradoxalmente, é conversando a respeito do passado que podemos libertar-nos dele.

Rebecca foi criada em uma comunidade conservadora onde aprendeu valores familiares tradicionais. Ela é grata pela criação que teve e ama muito seus pais. O único fato da infância e adolescência que ela se recusa a ver como problemático é que a sua única irmã, Sabrina, era deficiente mental. Isto representou um fardo financeiro e emocional para seus pais, e Rebecca reconhecia isso. Ela sempre admirou a dedicação e a maneira abnegada com que eles cuidavam de Sabrina.

"Eles sempre foram tão bons", é como Rebecca descrevia os pais. "Quero dizer, eu sei como era difícil lidar com Sabrina e com tudo o mais, mas eles nunca se queixavam. Nem uma única vez ouvi algum dos dois falar como se lamentasse alguma coisa. Meus pais são incríveis."

Essa dedicação, porém, criou um problema para Rebecca. Como nunca ouviu os pais se queixarem, ela acreditava que se reclamasse de qualquer coisa estaria errada. Mas ela tinha queixas com relação ao tempo e à energia que os pais despendiam para cuidar de Sabrina e ao fato de sentir-se responsável pela irmã quando os pais não estavam por perto. Rebecca secretamente ressentia-se por não ter sido criada em um lar normal ao qual pudesse convidar os amigos sem envergonhar-se. Rebecca nunca foi capaz de admitir esses sentimentos na frente dos pais: "Afinal de contas, veja bem tudo o que eles fizeram."

"Sinto-me muito mal. Eu acho horrível sentir ressentimento de uma irmã mentalmente deficiente. Quero dizer, eu tive sorte. Sou esperta e normal. Afinal, posso dizer que graças a Deus eu escapei..."

Rebecca sentia-se terrivelmente culpada por seus sentimentos em relação a Sabrina. Ela se achava uma pessoa má por sentir-se assim. A terapia de Rebecca obrigou-a a enfrentar outra tarefa difícil. Para ficar curada dos sentimentos dolorosos que tinha dentro de si, ela teria que conceder o perdão à pessoa mais difícil de perdoar – ela mesma. Ela precisava aceitar-se e perdoar a si mesma por ressentir-se de Sabrina, por desejar que os pais lhe tivessem dado mais do que ela recebera e por ser a filha normal. Ela tinha que aceitar esses sentimentos como naturais e descobrir que não somos culpados por aquilo que sentimos, mas pelos atos que cometemos quando prejudicam os outros.

Para amar a si mesma e aos outros do jeito aberto e vulnerável que desejava, Rebecca teria que remover o muro de culpa e ressentimento ao redor do seu coração. Perdoar a si mesma era a única maneira de fazer isso.

A forma mais profunda de perdão é um processo de compreensão que exige esforço e mudança interior. Para chegar a este ponto, é necessário um processo mais ou menos longo. Quanto mais tomamos consciência de nossos sentimentos e os entendemos, mais podemos mudar de idéia e mais profundamente somos capazes de perdoar. Felizmente, Rebecca foi capaz de dedicar-se à terapia, e o processo de perdoar a si mesma está caminhando bem. Exatamente como Jesus previu, existe um poderoso relacionamento entre nos sentirmos perdoados e a capacidade de amar. A pessoa que Rebecca precisava perdoar era ela mesma.

Jesus ensinou que o perdão é uma das ferramentas mais poderosas à disposição da humanidade. Muitos subestimam a importância psicológica do perdão. A vida de inúmeras pessoas foi transformada no decorrer da história humana por sentirem-se aceitas e perdoadas. Além disso, Jesus também ensinou que o perdão beneficia quem perdoa. O perdão remove os ressentimentos que nos impedem de desenvolver nossa espiritualidade. Como Rebecca descobriu, a frase "aquele a quem pouco se perdoa pouco ama" é especialmente verdadeira quando somos nós a pessoa que precisa de perdão.

PRINCÍPIO ESPIRITUAL: Existem ocasiões em que perdoar a nós mesmos é o mais árduo ato de amor.

O AMOR POR SI MESMO

"Ama o teu próximo como a ti mesmo."
Mateus 22:39

Pierre tenta ser um exemplo positivo para seus alunos. "As crianças hoje em dia precisam admirar alguém e eu levo a minha função de professor muito a sério neste sentido", declarou ele, orgulhoso.

Eu admirava Pierre por dedicar a vida a ajudar crianças e o admirei ainda mais por ele ter vindo fazer terapia quando essa dedicação começou a deixá-lo exausto.

"Eu sei que o meu trabalho com as crianças é realmente importante. Só preciso de alguma ajuda para recuperar o entusiasmo. O pensamento negativo nos bloqueia", disse-me ele depois de um seminário de aperfeiçoamento pessoal do qual participara. "Só preciso imaginar que estou mais feliz para que isso se torne realidade. Nós somos aquilo em que acreditamos."

Achei que Pierre estava negando alguma coisa importante. Era como se o amor por si mesmo dependesse apenas de como ele se sentia a seu próprio respeito, independente de outras pessoas.

Ao falar sobre sua infância, Pierre comentou: "Preciso apagar essas lembranças sobre os meus pais. Tudo isso está no passado. Preciso amar a mim mesmo e não depender tanto do amor de outras pessoas."

Os pais de Pierre o haviam negligenciado quando criança, de modo que ele aprendera cedo na vida a não esperar que outra pessoa lhe desse o que precisava. A verdade era que Pierre não se sentia amado e queria distanciar-se desses sentimentos. Fazer coisas positivas e conversar consigo mesmo de maneira otimista eram os recursos que usava para superar os sentimentos dolorosos.

Infelizmente, a estratégia de Pierre não estava funcionando tão bem quanto ele desejaria. Como seus pais o tinham depreciado muito, ele lutava para evitar os sentimentos resultantes de autocondenação. Suas tentativas de amar a si mesmo visavam acalmar as vozes interiores de insegurança e desprezo. O problema de Pierre não era a falta de amor por si mesmo, mas a rejeição por si mesmo. Seus esforços eram tentativas de encobrir a rejeição.

No decorrer da nossa terapia, Pierre parou de tentar me convencer de que o amor por si mesmo é apenas uma atitude mental que se pode aprender repetindo frases poderosas. Em vez disso, passamos a conversar mais sobre o que ele não gosta nele mesmo. À medida que Pierre compartilha comigo o que realmente sente com relação a si, ele descobre que já não tem que encobrir tantas coisas quanto antes. Embora seus pais tenham lhe transmitido o sentimento de ser inútil, a experiência de ter alguém que o escute nos seus piores momentos está lhe dando a sensação de que talvez haja alguma coisa boa nele. Pierre aprendeu com os pais que, quando nos desprezamos, prejudicamos nosso relacionamento com os outros. Na terapia, descobriu como é amar a si mesmo.

Hoje, Pierre está mais feliz no seu papel de professor. Ele deixou de tentar convencer as crianças de que elas precisam amar a si mesmas para vencer na vida. Agora ele simplesmente as ama. Pierre aprendeu que esta é a coisa mais poderosa que ele pode fazer tanto pelos outros quanto por si mesmo.

Jesus deixou muito claro que a sua definição do amor por si mesmo não significava egocentrismo. Para ele, o amor por si mesmo estava intimamente ligado ao amor pelos outros, assim como o ódio por si mesmo conectado ao abuso dos outros. Quando disse: "Ama o teu próximo como a ti mesmo", Jesus estava explicando que só pode amar os outros quem se ama. O amor a si mesmo não pode estar separado do amor aos outros; um depende do outro.

O amor se multiplica quando é distribuído, assim como o ódio destrói enquanto permitimos que ele exista.

PRINCÍPIO ESPIRITUAL: O amor por si mesmo e o amor aos outros – um não pode ser praticado sem o outro.

ABRIR-SE PARA O AMOR

"Estais em mim e eu em vós."
João 14:20

Jake procurou-me porque a mulher o estava abandonando. Eles vinham tendo problemas conjugais há vários anos, mas tinham tentado resolver as coisas por conta própria. Jake era um homem de negócios franco e carismático, e a sua mulher era do tipo introvertido. Aparentemente, Jake dominava no relacionamento, e a mulher se tornara uma pessoa ressentida e incapaz de expressar a sua infelicidade. Até resolver sair de casa.

Jake era capaz de admitir que não era perfeito, mas não acreditava que merecesse o abandono da mulher. Achava que ela estava sendo egoísta ao fugir dele. Ambos haviam investido nove anos no casamento, e ele não conseguia acreditar que aquilo estivesse acontecendo.

No início Jake queria falar exclusivamente da mulher. As sessões eram cheias de pedidos para que eu o ajudasse a fazê-la voltar. Ele estava basicamente interessado em entendê-la e fazer com que ela mudasse de opinião. Jake estava fazendo terapia para mudar a mulher.

À medida que o tempo foi passando, Jake começou a perceber que estava fazendo na terapia o que estivera fazendo no casamento nos últimos nove anos, e que não estava dando certo. Ele não era uma pessoa má, nem particularmente egoísta, mas a sua felicidade dependia de as outras pessoas fazerem o que ele queria que elas fizessem. Jake desejava que a mulher o quisesse, mas ela precisou afastar-se dele para descobrir se isso era também o que ela queria. Ele exigia que ela o amasse, mas o amor exigido não é um presente valioso.

Embora fosse difícil para ele, Jake aos poucos deixou de se concentrar em tentar mudar a mulher e passou a procurar entender a si mesmo. Quando começou a olhar para dentro de si, o seu desejo de culpá-la desapareceu. Chegou ao ponto de achar que ela só deveria voltar quando *ela* sentisse que era o que desejava. Embora ele estivesse magoado por ter sido abandonado, o fato de achar que era responsável pelo afastamento dela estava começando a magoá-lo ainda mais.

Por sorte, a mulher de Jake voltou. Voltou para um homem bastante diferente. Hoje Jake escuta mais quando ela fala e expressa como se sente com relação ao que ela diz. Está mais calmo, a sua pressão se estabilizou e ele consulta a mulher sobre as decisões que precisam tomar. Jake está mais centrado porque o seu relacionamento com a mulher fez com que ele examinasse alguns aspectos dolorosos de si mesmo que estava tentando evitar. Ele agora é capaz de amar a mulher e a família de uma maneira mais profunda por causa dessa atitude. Jake está aprendendo a lição que Jesus ensinou através do exemplo da própria vida. O amor é gratuito, mas não é barato.

Jesus acreditava que o nosso desenvolvimento pessoal só se dá no relacionamento com Deus e com os outros. O amor pelos outros é a força criativa que impulsiona o desenvolvimento espiritual.

A razão pela qual muitas pessoas temem os relacionamentos é que o amor nos deixa vulneráveis. O risco de sofrer é o preço que pagamos quando estabelecemos um relacionamento com outras pessoas. Mas o amor é a recompensa. Aqueles que estão dispostos a pagar esse preço poderão desenvolver o seu eu, e os que procuram evitar qualquer risco e se fecham tornam-se egocêntricos.

PRINCÍPIO ESPIRITUAL: Abrir-se para o amor é o que nos realiza.

EPÍLOGO

O meu objetivo foi oferecer uma perspectiva sobre como os antigos ensinamentos de Jesus encerram poderosas idéias psicológicas capazes de influenciar hoje a nossa vida. Durante séculos, aqueles que estiveram dispostos a meditar sobre as parábolas de Jesus tiraram proveito das pérolas de sabedoria nelas encontradas. À medida que a nossa capacidade de refletir a respeito do comportamento humano se torna mais sofisticada, acredito que a nossa capacidade de sermos beneficiados por essa sabedoria só fará aumentar.

Jesus nos deixou a crença de que a conversa é uma coisa positiva, tanto com as outras pessoas quanto com Deus. Não é bom ficarmos sozinhos. Este livro gira em torno do diálogo entre os ensinamentos de Jesus e o pensamento psicológico em evolução. Espero que você tenha se reconhecido em alguma das situações apresentadas e que tenha conseguido se conhecer melhor.

Compreendo que escrever um livro sobre os ensinamentos de Jesus pode ser controvertido. Mas de uma coisa eu sei: o meu trabalho como terapeuta beneficiou a minha vida e a dos meus pacientes. Embora a ciência da psicologia só tenha oficialmente pouco mais de cem anos, ela foi desenvolvida na mente de muitos pensadores proeminentes muito tempo antes. Quando penso em todas as figuras da antiguidade cuja doutrina é chamada nos tempos modernos de "psicológica", não consigo pensar em ninguém que mereça mais o título de *o maior psicólogo de todos os tempos* do que Jesus.

NOTAS

CAPÍTULO 1

1. Um importante livro de psicanálise sobre como o que sabemos é sempre limitado pela nossa perspectiva pessoal é *Structures of Subjectivity* (Estrutura da subjetividade), de George Atwood e Robert Stolorow. Hillsdale, NJ: Analytic Press, 1984.

2. Explico melhor o inconsciente no capítulo 8.

3. "Eles têm zelo por Deus, mas um zelo pouco esclarecido" (Rm. 10:2).

4. Allan Bloom foi um professor universitário que observou seus alunos durante mais de trinta anos. Ele chegou à conclusão de que "quase todos os estudantes que entram na universidade acreditam, ou afirmam acreditar, que a verdade é relativa". O professor Bloom ficou tão perturbado com esse fato que escreveu um livro para desafiar essa convicção intitulado *O declínio da cultura ocidental.* São Paulo: Best Seller, 1989.

5. MITCHELL, Stephen. *Relational Concepts in Psychoanalysis* (Conceitos relativos na psicanálise). Cambridge, MA: Harvard University Press, 1988.

CAPÍTULO 2

1. Um livro de psicanálise inovador sobre a natureza relacional do "eu" humano é *Análise do self*, de Heinz Kohut. Rio de Janeiro: Imago, 1988.

2. "E o Senhor arrependeu-se de ter feito o homem na terra" (Gn. 6:6).

3. ROGERS, Carl. *Tornar-se pessoa.* São Paulo: Martins Fontes, 1997.

4. KOHUT, Heinz. *Como cura a psicanálise?* Porto Alegre: Artmed, 1989.

5. "Deus criou o homem à sua imagem... homem e mulher ele os criou" (Gn. 1:27).

CAPÍTULO 3

1. O conceito dos princípios organizadores é explicado em *Contexts of Being* (Contextos do ser), de Robert Stolorow e George Atwood. Hillsdale, NJ: Analytic Press, 1992, capítulo 2.

CAPÍTULO 4

1. Jesus trata em outro lugar do uso criterioso do dinheiro. Ver Mt 25:14-30.

2. Mais informações sobre a psicopatologia como autopreservação podem ser encontradas em "Introspection, Empathy and the Semi-Circle of Mental Health" (Introspecção, empatia e o semicírculo da saúde mental), de autoria de Heinz Kohut, no *International Journal of Psychoanalysis,* nº 63 (1982): 395-407.

3. "A tristeza que vem de Deus produz arrependimento... de que nunca há razão para arrepender-se" (2 Cor. 7:10).

4. *Hamartia* é a palavra grega mais freqüentemente usada para "pecado" no Novo Testamento e pode ser traduzida por "falhar" ou "errar devido à ignorância".

CAPÍTULO 5

1. Mais informações sobre a inflexibilidade na psicoterapia podem ser encontradas em um artigo de Mark Baker sobre fundamentalismo religioso no *Journal of Psychology and Theology 26*, nº 3 (1998): 223-31. Por que o pensamento humano torna-se concreto é adicionalmente explicado em *Structures of Subjectivity* (Estrutura da subjetividade), de George Atwood e Robert Stolorow. Hillsdale, NJ: Analytic Press, 1984, capítulo 4 (Pathways of Concretization).

2. FREUD, Sigmund. "O futuro de uma ilusão", in *Edição Standard Brasileira das Obras Psicológicas Completas de Sigmund Freud.*

CAPÍTULO 7

1. Um livro que faz uma análise profunda da supremacia das emoções nos relacionamentos humanos é *Affects as Process: An Inquiry into the Centrality of Affect in Psychological Life* (As emoções como um processo: uma pesquisa sobre o sentimento na vida psicológica), de Joseph Jones. Hillsdale, NJ: Analytic Press, 1995.

2. Allan Schore, *Affect Regulation and the Origin of the Self* (As leis da emoção e a origem do eu). Hillsdale, NJ: Lawrence Erlbaum, 1994.

CAPÍTULO 8

1. Uma discussão técnica da transferência e do inconsciente pode ser encontrada em *Psychoanalytic Treatment: An Intersubjective Approach* (Tratamento psicanalítico: uma abordagem intersubjetiva), de R. Stolorow, B. Brandchaft e G. Atwood. Hillsdale, NJ: Analytic Press, 1987, capítulo 3; e *Contexts of Being* (Contextos do ser), de R. Stolorow e G. Atwood (Hillsdale, NJ: Analytic Press, 1992), capítulo 2.

CAPÍTULO 9

1. Mais informações sobre a interconexão da experiência humana podem ser encontradas em *O mundo interpessoal do bebê*, de Daniel Stern. Porto Alegre: Artmed, 1992. Veja também: MITCHELL, Stephen. *Relational Concepts in Psychoanalysis* (Conceitos relativos na psicanálise). Cambridge, MA: Harvard University Press, 1988.

CAPÍTULO 10

1. Um importante artigo sobre a psicanálise e a empatia é "Introspection, Empathy and Psychoanalysis" (Introspecção, empatia e o semicírculo da saúde mental), de Heinz Kohut, *Journal of American Psychoanalytic Association 7* (1959): 459-83.

2. "Uma geração perversa e adúltera busca um sinal milagroso" (Mt. 16:4).

3. "...no caminho tinham discutido sobre qual deles era o maior" (Mc 9:34).

CAPÍTULO 11

1. Um livro de psicanálise sobre a importância do enfoque sobre o relacionamento na terapia é *A Meeting of the Mind: Mutuality in Psychoanalysis* (Um encontro da mente: a reciprocidade na psicanálise), de Lewis Aron. Hillsdale, NJ: Analytic Press, 1996.